Augusto Cury

# Superando o Cárcere da Emoção

*13ª reimpressão*

Academia

Copyright © Academia de Inteligência 2006.

*Capa:* Ricardo Schwab
*Revisão:* Tulio Kawata
*Diagramação:* Globaltec _

Dados Internacionais de Catalogação na Publicação (CIP)
(Câmara Brasileira do Livro, SP, Brasil)

---

Cury, Augusto
 Superando o cárcere da emoção / Augusto Cury. —
São Paulo : Editora Planeta do Brasil, 2006.

 ISBN 978-85-7665-237-3

 1. Auto-ajuda – Técnicas  2. Dependência
(Psicologia)  3. Emoções  4. Qualidade de vida
I. Título.

06-9412                                        CDD-152.4

---

Índices para catálogo sistemático:
1. Emoções : Dependência : Psicologia    152.4

2011
Todos os direitos desta edição reservados à
Editora Academia de Inteligência
Avenida Francisco Matarazzo, 1500 I 3º andar – conj. 32B
Edifício New York I 05001-100 I São Paulo-SP
www.editoraplaneta.com.br
vendas@editoraplaneta.com.br

Eu _____, ofereço

Este livro a _____

O pior cárcere não é o que aprisiona o corpo,

Mas o que asfixia a mente e algema a emoção.

Sem liberdade, as mulheres sufocam seu prazer,

Os homens se tornam máquinas de trabalhar.

Ser livre é não ser servo das culpas do passado

Nem escravo das preocupações do amanhã.

Ser livre é ter tempo para as coisas que se ama,

É abraçar, se entregar, sonhar, recomeçar.

É desenvolver a arte de pensar e proteger a emoção.

Mas, acima de tudo...

Ser livre é ter um caso de amor com a própria vida.

_____ ____/____/____

# Sumário

# Capítulo 3
### O caráter da dependência
### O sofrimento dos que buscam liberdade,
### mas acabam numa prisão

# Capítulo 4
### O funcionamento da mente
### A Ciência pesquisa o mais grave problema social

# Capítulo 5
### Conceitos e definições
### Científica e psicologicamente, o que são as drogas?

# Capítulo 6
### Causas psíquicas, sociais e genéticas
### Como alguém se torna dependente de drogas?

## Capítulo 7
A prevenção no ambiente familiar
O diálogo familiar é a melhor prevenção contra vários males

## Capítulo 8
Revendo a relação entre pais e filhos
Princípios fundamentais para ajudar os jovens a romper
o cárcere da emoção

## Capítulo 9
A terapia multifocal
Uma ajuda importante para romper o cárcere da emoção

## Capítulo 10

O sentido da vida

Valorizar a vida é a grande prova de sabedoria

# Introdução

Introdução

O homem sempre procurou a liberdade. A liberdade está no cerne das aspirações humanas. Através dela, podemos criar, pesquisar, construir, conhecer novos ambientes, expressar idéias, gerenciar os pensamentos e administrar sentimentos. A liberdade é a coroa do prazer de viver e o alicerce da personalidade saudável.

Existiram escravos que foram libertados e homens livres que se tornaram escravos. Qual a explicação desse paradoxo? Os que foram livres sendo escravos eram livres interiormente! Os que se tornaram escravos sendo livres foram escravos no mundo dos seus pensamentos e no território das suas emoções! Sem a liberdade, o ser humano deixa de sonhar e esmaga seu encanto pela existência. Você pode ser um rei sem trono desde que tenha a coroa da liberdade.

Apesar da liberdade ser vital para o homem, ele sempre foi vítima de algum tipo de prisão. As cadeias, a escravidão, o autoritarismo político, a exploração sexual, o cerceamento dos direitos fundamentais, a dificuldade de liderar o mundo psíquico, a ansiedade, a angústia, as fobias (medo) e outros transtornos emocionais são exemplos de restrição de liberdade que feriram nossa história.

Contudo, pergunto-lhe: Qual é a maior prisão do mundo? É aquela que aprisiona o ser humano externa ou internamente?

Sem sombra de dúvida é aquela que algema a alma, que controla a inteligência.

Você pode perder dinheiro, prestígio social, um emprego ou romper um relacionamento afetivo e, ainda assim, preservar uma grande capacidade para lutar, recomeçar tudo e superar sua perda. Todavia, se perder sua liberdade, o mundo se tornará pequeno demais para você, pois estará algemado pelo sentimento de vergonha, de culpa, de incapacidade.

O pior cárcere humano é o cárcere da emoção. Normalmente quem aprisiona a emoção são os pensamentos de conteúdo negativo, estressante, ansioso. Construímos sociedades democráticas, mas o homem moderno não é amiúde livre. Nenhum ser humano também é completamente saudável. Todos temos algum tipo de doença psíquica e algum grau de dificuldade para administrar nossos pensamentos e emoções.

Quem controla todos os pensamentos que se passam no mundo de sua mente? Pois construímos pensamentos absurdos que não temos coragem de verbalizar. Quem é senhor pleno de suas emoções?

Todos produzimos sentimentos que não gostaríamos de confeccionar, tais como raiva, medo, humor, tristeza, insegurança, mas eles são produzidos fora do controle da vontade consciente do "eu". Todas as coisas que obstruem nossa inteligência funcionam como cadeias conscientes e, principalmente, inconscientes nos bastidores da construção da inteligência.

Nem os grandes homens livraram-se de ter conflitos em suas vidas. Os pensadores na filosofia e nas ciências viveram crises emocionais e existenciais. Muitos deles produziram pinturas, esculturas, peças literárias, textos filosóficos e pesquisas científicas, como tentativa de superação da angústia que os abatia.

Diversos conflitos que encarceram nossas emoções ocorreram numa fase da infância em que nós não tínhamos defesas intelectuais. Alguns deles ocorreram apesar dos pais terem sido pessoas excelentes. É muito comum que os estímulos do ambiente ou uma atitude ou reação dos pais sejam inadequadamente interpretados pelos filhos, produzindo frustrações e causando-lhes importantes cicatrizes nos amplos terrenos do inconsciente. Portanto, é possível adquirir conflitos mesmo tendo vivido uma infância saudável.

Além disso, o mundo moderno virou uma fábrica de pessoas estressadas. Até pessoas que desenvolveram uma personalidade sem grandes traumas podem, quando adultas, devido ao estresse profissional e social, desenvolver arquivos doentios nas matrizes da memória. As pessoas mais responsáveis e aplicadas estão mais sujeitas ao cárcere da ansiedade. Superar os cárceres psíquicos que são construídos ao longo de nossa trajetória deve ser a grande meta da inteligência.

O pior prisioneiro é o que não enxerga seus próprios limites. O pior doente é aquele que represa suas emoções e tem medo de admitir suas fragilidades, fracassos e momentos de insegurança.

É mais fácil conquistar fortuna do que sabedoria. Quem é sábio? — Sábio não é a pessoa que não erra, não se frustra e nem sofre perdas, mas é aquela que aprende a usar suas dificuldades como alicerce da sua sabedoria. Que destino você dá para seus erros? O que você faz com as dores emocionais que vivencia? Elas o constroem ou o destroem?

Infelizmente, raras vezes somos eficientes em dar um destino lúcido às nossas falhas e sofrimentos.

Sabemos lidar com os sucessos, mas estamos despreparados para as derrotas. Sabemos lidar com as alegrias, mas não com a tristeza e com a ansiedade.

Você sabe quantos segundos temos para debelar um foco de tensão emocional para que ele não seja registrado de maneira doentia na memória? No máximo cinco segundos. Mas, infelizmente, somos lentos para nos proteger. A maioria das pessoas nem sequer sabe que precisa proteger suas emoções. Elas fazem seguro da casa, do carro, colocam grades nas janelas, mas não têm nenhuma proteção no mais importante e delicado território o território da emoção.

Muitos executivos, empresários e profissionais liberais têm alta conta bancária, mas um grande déficit emocional. São ótimos para ganhar dinheiro, mas péssimos para conquistar a tranqüilidade. Muitos são controlados pela hiperprodução de pensamentos antecipatórios, vivem sofrendo por problemas que ainda não aconteceram!

Eles têm bons motivos para ser alegres, mas são ansiosos, excessivamente preocupados e angustiados. São excelentes profissionais, mas não sabem cuidar de sua qualidade de vida. A ansiedade bloqueia o desfrute do seu sucesso financeiro. Tornaram-se ricos e miseráveis.

Alguns executivos, que leram as primeiras edições deste livro, comentaram que foram muito ajudados, pois compreenderam que o sucesso profissional sem o sucesso emocional podia ter valor para os outros, mas não para si mesmos. Tiveram de conquistar habilidades para superar as armadilhas da emoção e reaprender a sorrir, ser espontâneos, seguros, empreendedores.

Alguns têm sucesso intelectual, conquistam cultura e títulos acadêmicos, mas não sabem navegar com sabedoria nas agitadas águas da emoção. Os obstáculos profissionais, as contrariedades sociais, as ofensas e críticas facilmente invadem-lhes a emoção e roubam-lhes a serenidade.

# Podemos ser autores de nossa história

Um dia, após dar uma conferência, uma mulher procurou-me. Estava sofrendo de depressão e síndrome do pânico há vinte anos. Havia passado por quinze psiquiatras. Sentia desânimo, fadiga, humor triste, ansiedade, insônia, fobia. O mundo desabou sobre sua emoção. Nos últimos dez anos, isolou-se em sua casa.

Por morar em outro estado, pedi-lhe que não interrompesse seu tratamento atual, que estudasse este livro e que resgatasse a "liderança do eu" através da técnica do DCD (duvidar, criticar e determinar), que pode ser usada em todos os conflitos psíquicos e que, em síntese, consiste em *duvidar* do controle dos conflitos sobre a emoção, *criticar* cada pensamento negativo e *determinar* ser uma pessoa segura, estável, alegre. Disse que se ela praticasse essa técnica dezenas de vezes por dia, no silêncio de sua mente, ela reeditaria o filme do seu inconsciente e em três meses pegaria sozinha um avião e me visitaria.

Após três meses, ela me visitou dizendo que venceu o cárcere de sua emoção. Leu dez vezes este livro e fez continuamente a técnica do DCD.

Seu último psiquiatra ficou pasmado com a melhora. Meses depois, ele teve uma crise depressiva e pediu-lhe ajuda. Queria saber como era a técnica que eu lhe havia ensinado. Não fiz muito, apenas a ensinei a ser autora da sua história...

Há pessoas que sabem governar um país, um estado e uma cidade com grande capacidade, mas são atormentadas dia e noite por pensamentos negativos. Se você não criticar suas idéias negativas, elas farão parte da colcha de retalhos da sua personalidade.

Devido à complexidade da mente humana é muito difícil falar de maneira detalhada de cada cárcere a que a emoção pode se submeter, a não ser que se escreva uma enciclopédia que poucos terão ânimo de ler. Portanto, vou usar uma doença complexa, a dependência psicológica das drogas, para revelar alguns mecanismos universais que estão presentes na gênese da grande maioria dos conflitos humanos.

Assim como o diretor de cinema James Cameron usou um par romântico para mostrar o drama do Titanic, usarei as drogas e a mente dos usuários como atores principais para descortinar o funcionamento da inteligência e o drama do cárcere da emoção. Será uma aventura imperdível para quem ama a vida, a humanidade e almeja ser líder e livre.

Há muitos tipos de "drogas", e não apenas a química, que trucida a liberdade e faz a emoção se submeter à pior prisão do mundo: a "droga" do medo, do sistema social, da paranóia da estética, do consumismo, da competição predatória, do preconceito, da rigidez, do orgulho cego, da necessidade de se estar sempre certo, dos transtornos psíquicos.

Quando falar sobre as drogas como potentes estímulos que se registram de maneira privilegiada na memória e interferem na dinâmica da psique, espero que o leitor possa fazer um paralelo com os estímulos que o atingem, tal como uma ofensa ou uma perda, e perceber que eles também interferem na engrenagem psicodinâmica de sua mente.

Os pais serão ajudados a abrir as janelas de suas mentes e a construir um excelente relacionamento com seus filhos. Quando abordar o relacionamento entre pais e filhos, espero que o leitor, do mesmo modo, ainda que não tenha filhos, faça um paralelo sobre como superar conflitos interpessoais, liderar pessoas, conquistar colegas de trabalho ou alunos e estimular a inteligência deles.

Faremos, neste livro, uma das mais belas viagens, uma viagem ao interior de nós mesmos. Ficaremos fascinados com o espetáculo da inteligência. No penúltimo capítulo, discorrerei sobre um dos mais importantes fenômenos que atuam nos bastidores da mente, o fenômeno do autofluxo.

Esse fenômeno é o grande responsável pelas leituras contínuas da memória e pela produção de milhares de pensamentos diários. Entenderemos por que é tão difícil governar nossos próprios pensamentos e por que o homem tem sido o pior carrasco de si mesmo.

No capítulo final, farei uma abordagem psicológica e filosófica do sentido da vida. Nele conheceremos a fascinante inteligência do Mestre dos mestres. Estudaremos como ele superava suas angústias e contrariedades e por que, num ambiente ansioso e saturado de estresse, ele foi livre, feliz e seguro.

Precisamos fazer um brinde à sabedoria. Nunca devemos desistir da vida nem pensar em deixar de caminhar. Por mais tropeços que tenhamos pelo caminho, podemos transpor o caos da emoção e superar nossas angústias...

# O cárcere da emoção

O palco da
existência

A vida é o maior espetáculo no palco da existência. Devemos ser diretores do *script* de nossas vidas, mas temos de saber que jamais conseguiremos controlar todos os atores e todas as variáveis desse complexo palco. Viver é uma aventura, e saber viver é uma arte. Por isso, grandes homens no mundo cultural e financeiro podem ser meninos na intrigante arte de viver.

O homem moderno está preocupado em conquistar espaço profissional, cursar uma boa escola e fazer exercícios para manter seu corpo em dia. Todavia, atropela-se na escola da vida. Se quisermos aprender a ser especialistas na arte de viver, precisamos fazer um treinamento diferente, fazer uma "academia de inteligência". Consumir informações *fast food* (prontas e rápidas) não desenvolve as áreas da personalidade nem rompe os cárceres da emoção.

Precisamos fazer um laboratório intelectual e prático das funções mais importantes da inteligência, da educação da emoção, da superação de desafios profissionais, do desenvolvimento da qualidade de vida, da reedição de algumas áreas do filme do inconsciente.

Fazer uma academia de inteligência é aprender a gerenciar os pensamentos e navegar nas sinuosas águas da emoção. É treinar ser autor de sua história, e não vítima dela. Caso contrário, teremos problemas para tomar decisões e ter espírito empreendedor, segurança, auto-estima. Poderemos sonhar, mas teremos grande dificuldade de materializar nossos sonhos.

## 1. Inteligência multifocal

Há quase vinte anos tenho pesquisado e desenvolvido uma nova teoria, uma das poucas mundiais, sobre o funcionamento da mente e a construção da inteligência. Foram dias e noites incansáveis de pesquisas. Milhares de páginas foram escritas, resultando na teoria da "Inteligência Multifocal"[1].

Essa teoria tem sido usada em diversas teses de mestrado e doutorado. Ela estuda fenômenos ligados à construção dos pensamentos e da consciência que muitos outros pensadores da psicologia, tais como Sigmund Freud, Carl Gustav Jung, Alfred Adler, Erich Fromm, Victor Frankl, não tiveram oportunidade de estudar.

Infelizmente, só agora a psicologia está começando a compreender alguns dos complexos papéis da memória e dos fenômenos que transformam a energia emocional e constroem as cadeias de pensamentos. Atuarei como um divulgador científico.

Estudaremos que o uso contínuo das drogas pode queimar etapas de vida de um jovem, fazendo com que ele "envelheça" no único lugar onde não é permitido envelhecer: no território da emoção. Infelizmente, a dependência de drogas tem gerado velhos no corpo de jovens.

O mesmo fenômeno tem ocorrido com profissionais que vivem uma sobrecarga de estresse crônica e contínua. A

---

[1] CURY, Augusto. J. *Inteligência Multifocal*. São Paulo: Ed. Cultrix, 1998.

idade emocional freqüentemente é mais velha do que a idade biológica. Quando um profissional vive estressado, ele pode registrar experiências na sua memória que contraem seu encanto pela vida e reduzem seu prazer de viver.

Há excelentes executivos que envelheceram rápida e precocemente no território da emoção. São *workaholic*, escravos do trabalho, especialistas em resolver problemas da empresa, mas péssimos para cuidar de si mesmos. Vivem numa bolha de solidão, são prisioneiros do próprio sucesso, por isso raramente fazem coisas fora de sua agenda e extraem o prazer nos pequenos eventos da rotina diária. Você sabe proteger sua emoção e cuidar de sua qualidade de vida?

## 2. Prisioneiros no território da emoção

Ninguém pode ser livre e feliz se for prisioneiro de si mesmo. Existem vários tipos de doenças psíquicas que podem aprisionar a alma ou psique humana. Quem é encarcerado por barras de ferro pode ainda ser livre para pensar e sentir. Quem é prisioneiro no âmago da sua alma, além de ter dificuldade de administrar seus pensamentos, esfacela o mais belo elo da existência.

É contraditório, pois nunca vivemos num mundo tão livre, com respeitáveis índices de liberdade social e, no entanto, nunca tivemos uma quantidade tão grande de homens vítimas de tantas doenças psíquicas. Os escravos do passado eram mais livres do que os que estão sob o jugo do cárcere da emoção. Todavia, quando uma pessoa supera sua depressão, ansiedade ou síndrome do pânico, fica mais inteligente e experiente.

Uma pessoa portadora de fobia, tal como a de elevador (claustrofobia), altura (acrofobia), social (medo de falar em público), sofre ação de fenômenos semelhantes aos de um dependente. Diante de um elevador ou de uma reunião social, detona-se o gatilho da memória, gerando reações angustiantes que fecham os territórios de leitura da memória e travam sua capacidade de pensar.

A única coisa que interessa a ela é sair do ambiente estressante. Quanto mais tempo ficar, mais intensificará a sua ansiedade, que será canalizada para produzir diversos sintomas psicossomáticos, como suor excessivo, taquicardia, respiração ofegante. Esses sintomas preparam-na para a fuga.

A fobia é produzida por uma imagem distorcida e aumentada do objeto fóbico, gerando uma reação aversiva a ele. A farmacodependência é produzida por uma imagem distorcida e aumentada da droga, gerando uma atração fatal por ela.

## 3. Continuamos a ser um mistério para nós mesmos

As crianças conhecem cada vez mais o imenso espaço e o pequeno átomo, mas não conhecem a construção da inteligência e o funcionamento da sua própria mente.

Essa carência de interiorização educacional faz com que elas percam sua melhor oportunidade de desenvolver as funções mais profundas da inteligência: a capacidade de pensar e refletir sobre si mesmas; a capacidade de analisar seus comportamentos, perceber suas conseqüências; a capacidade de se colocar no lugar do outro; a capacidade de se autocriticar, reconhecer seus limites e dar respostas maduras para as suas frustrações.

É preciso revolucionar nossas relações sociais. Infelizmente, pais e filhos, professores e alunos, bem como executivos e funcionários, têm dividido o mesmo espaço físico, respirado o mesmo ar, mas estão vivendo em mundos totalmente distintos. Educar não é informar, mas formar pensadores, homens que pensam.

Um filho bem comportado, um aluno com bom rendimento nas provas e um funcionário que segue rigorosamente as normas da empresa não quer dizer que sejam psiquicamente saudáveis, criativos, seguros e que saibam dar respostas inteligentes em situações tensas. Somente quem desenvolve as funções mais importantes da inteligência tem uma vacina segura contra o cárcere da emoção.

## 4. A síndrome trihiper

Uma importante síndrome psíquica nas sociedades modernas que tem gerado diversos tipos de cárcere da emoção é a síndrome trihiper. Ela recebe esse nome porque representa três funções importantes da personalidade, mas que foram desenvolvidas exageradamente: 1ª) hipersensibilidade emocional; 2ª) hiperprodução de pensamentos; 3ª) hiperpreocupação com a imagem social.

A hipersensibilidade emocional faz com que uma pessoa viva a dor dos outros, se preocupe com todo mundo menos consigo mesma, sofra intensamente quando ofendida e tenha impacto diante de pequenos problemas.

A hiperprodução de pensamentos representa a síndrome SPA, que é a Síndrome do Pensamento Acelerado. Portanto, a síndrome trihiper contém a síndrome SPA. A síndrome SPA gera fadiga excessiva devido ao roubo de energia cerebral provocado pelo excesso de pensamentos, ansiedade, déficit de concentração, déficit de memória, insatisfação diante da rotina.

A hiperpreocupação com a imagem social faz com que uma pessoa espere muito dos outros, gravite em torno do que dizem e pensam dela. Uma pequena rejeição ou crítica é capaz de estragar o seu dia ou a semana.

Normalmente as pessoas portadoras da síndrome trihiper são as melhores pessoas da sociedade. São ótimas para os outros, mas péssimas para si mesmas. Por terem menos defesa, ficam mais expostas aos transtornos emocionais, como a depressão e a ansiedade.

É difícil encontrar uma pessoa que saiba proteger sua emoção e, ao mesmo tempo, gerencie seus pensamentos com habilidade. Uma pessoa que brilhou nessa área foi Jesus Cristo[2]. Se deixarmos a questão teológica de lado e analisarmos a humanidade desse personagem, ficaremos impressionados com a sua inteligência. Seus comportamentos chocam a psicologia.

Ele sabia como e quando iria morrer, mas administrava seus pensamentos com incrível sabedoria. Não sofria por antecipação, nem gravitava em torno dos seus problemas. Sabia abrir as janelas da sua mente em situações em que era quase impossível raciocinar, como quando foi ferido em seu julgamento e mutilado na cruz. Fez da capacidade de pensar uma arte. Tinha plena consciência de que, se não cuidasse da qualidade dos seus pensamentos, não sobreviveria.

Os miseráveis foram seus amigos, e os descartados, seus companheiros. Sempre foi fiel ao seu pensamento, mesmo que isso causasse inúmeros transtornos. Não procurava fama nem vivia em função do que os outros pensavam e falavam dele. Foi feliz e seguro na terra da infelicidade e do medo.

---

[2] CURY, Augusto. J. *Análise da inteligência de Cristo*. São Paulo: Ed. Academia de Inteligência, 1999.

O homem moderno está freqüentemente doente em diversas áreas da personalidade. Não vive cada manhã como um novo espetáculo nem contempla o prazer nos pequenos eventos da vida. Entulha de lixo sua memória e adquire uma série de conflitos em sua personalidade.

O que você pensa determina o que você sente. O que você sente determina o que você registra em sua memória. O que você registra determina os alicerces de sua personalidade. Cuide de sua qualidade de vida cuidando dos pensamentos.

# Prisioneiros
# e infelizes

Perdendo a
capacidade de
sentir prazer

Aqueles cuja emoção gravita em torno dos efeitos das drogas são prisioneiros e infelizes. Se formos avaliar a história dos jovens e adultos farmacodependentes, não poucos deles já atravessaram tantas dores que pensam em suicídio, numa freqüência muito maior do que a média da população. Por que milhares de jovens, no início de sua história com as drogas, hasteiam a bandeira do prazer, mas, quando se instala a dependência, desejam, ainda que por momentos, o fim da vida? Raramente uma pessoa que mergulha no cárcere da dependência não pensa em suicídio, ainda que, felizmente, esse pensamento não se materialize. Que paradoxo é esse?

A vida humana não suporta ser aprisionada. A liberdade é um embrião que habita na alma humana e não pode morrer. Se a liberdade perece, ainda que pela busca de um certo prazer, um caos na emoção é o resultado. Os usuários de drogas são amantes da liberdade, mas, sorrateiramente, matam aquilo que mais os motiva a viver. Passam por freqüentes crises existenciais, muitas vezes não exploradas pelos profissionais de saúde. E assim, à medida que se afundam nessas sucessivas crises, eles perdem o sentido existencial e caem num tédio insuportável.

# 1. Psicoadaptando-se aos pequenos eventos da vida

A psicoadaptação é um dos mais importantes fenômenos que atuam no inconsciente, nos bastidores de nossas inteligências, e afeta toda a nossa história de vida. Esse fenômeno foi identificado e estudado por mim ao longo de muitos anos de pesquisa psicológica. Por meio dele, podemos compreender as causas que conduzem o indivíduo a ser um eterno insatisfeito, um ser que sempre busca novas experiências para garantir seu prazer de viver.

Farei uma pequena síntese desse fenômeno, sem entrar em áreas mais profundas da sua atuação psicodinâmica. Quem quiser estudá-lo, bem como outros fenômenos que alimentam o belo e complexo funcionamento da mente, pode ler *Inteligência Multifocal*, obra citada.

Psicoadaptação é a incapacidade da emoção humana de sentir prazer ou dor frente à exposição do mesmo estímulo. Cada vez que os estímulos se repetem ao longo da nossa história de vida, nós nos psicoadaptamos a eles e, assim, diminuímos inconscientemente a emoção que sentimos por ele.

A repetição do mesmo elogio, da mesma ofensa, mesma paisagem, tela de pintura... faz com que a emoção se psicoadapte e perca a capacidade de reação. Com o decorrer do tempo, ficamos insensíveis. As mulheres sabem bem disso. Quando compram uma roupa e a usam pela primeira vez, elas experimentam um grande prazer. Entretanto, após usá-la algumas vezes, perdem o encanto por aquela roupa. O mundo da moda surge pela atuação traiçoeira do fenômeno da psicoadaptação. A maior parte das mulheres não sabe por que tem uma necessidade compulsiva de estar no rigor da moda. Na base dessa necessidade cada vez mais comum em nossos dias está o que poucos enxergam: uma exacerbação da atuação do fenômeno da psicoadaptação, que provoca um alto grau de ansiedade e insatisfação.

A primeira vez que colocamos um quadro de pintura na parede, extraímos o prazer de cada detalhe dele. Após um mês, talvez passemos por ele sem sequer notá-lo. Podemos psicoadaptar-nos a tudo o que está ao nosso redor. Até mesmo à nossa própria miséria. Os que se adaptam à sua miséria psíquica e social nunca conseguirão fazer uma "faxina" em suas vidas.

Quanto mais uma pessoa tiver dificuldade em extrair prazer daquilo que possui, mais infeliz e angustiada será, ainda que tenha privilégios financeiros. É possível ter muito e ser pobre no cerne da emoção. Por isso, sempre digo que há ricos que moram em favelas e miseráveis que moram em palácios.

A psicoadaptação nem sempre é ruim. Há situações em que ela é extremamente útil, pois pode aliviar-nos as dores e frustrações. Ao passar por um fracasso, podemos ficar muito angustiados. Todavia, com o passar do tempo nos psicoadaptamos a esse fracasso e, conseqüentemente, podemos superá-lo, bem como a angústia dele decorrente.

Do lado negativo, o fenômeno da psicoadaptação contribui decisivamente para gerar no palco da psique humana experiências de tédio, rotina, mesmice e solidão. Porém, mesmo em tais situações, podemos vislumbrar algo positivo na atuação desse fenômeno. O tédio e a rotina geram uma insatisfação oculta que nos impele a superá-la. Dessa busca inconsciente de superação surge toda forma de criatividade humana. Por que a arquitetura, a literatura, a música e todas as formas de arte estão em contínuo processo de transformação? Olhem para o estilo dos carros, o *design* está sempre sendo modificado. Muitos filósofos e pensadores da Psicologia não compreenderam, mas o fenômeno da psicoadaptação gera uma angústia existencial que impulsiona o homem a buscar novas formas de prazer, novos estímulos que o animem.

Apesar de esse fenômeno ter força para alavancar a criatividade, se ele produzir uma insatisfação contínua e acentuada, que não é superada, pode conduzir à instabilidade emocional e à angústia crônica. Os que nunca terminam o que fazem e sempre reclamam de tudo o que têm, padecem desse transtorno. Se aprenderem a ser amigos da perseverança, a lidar com a angústia existencial e a contemplar os pequenos detalhes da vida, é possível que resolvam esse transtorno emocional.

## 2. Perdendo a capacidade de sentir prazer

O que o fenômeno da psicoadaptação tem a ver com a farmacodependência e com outras doenças psíquicas? Muito! A atuação desse fenômeno gera uma das mais graves conseqüências do uso de drogas psicotrópicas e que não é compreendida pela maioria dos psiquiatras e psicólogos.

À medida que os usuários se submetem aos intensos efeitos das drogas, vão psicoadaptando-se a eles e, conseqüentemente, só conseguem excitar a emoção diante de um estímulo potente. Como raramente temos no ambiente social estímulos que excitam a emoção tanto quanto as drogas psicotrópicas, os usuários acabam perdendo, sem perceber, o prazer produzido pelos pequenos estímulos da rotina diária.

Com o decorrer do tempo, eles se tornam infelizes, com grande dificuldade de sentir prazer pela vida. Só conseguem se animar com os grandes eventos, tal como uma festa ou um *show* e, mesmo assim, precisam usar as drogas para obter alguma excitação emocional. Dessa forma, eles destroem lentamente, e sem ter consciência disso, a parte mais delicada da inteligência humana, a emoção.

Os homens que vivem na mídia, que buscam o sucesso como única meta, mesmo que nunca tenham usado drogas, fizeram do próprio sucesso uma "droga" e, portanto, também destroem o território da emoção, pois perdem, inconscientemente, o prazer pelos pequenos detalhes da vida. O sucesso não é ser continuamente feliz, mas construir a felicidade com as coisas singelas da vida. O Mestre dos mestres da escola da vida, Jesus, apesar de ser alguém poderoso e famoso, ainda achava tempo para contemplar atenta e embevecidamente os lírios dos campos.

O importante não é buscar desesperadamente o sucesso, mas aprender a viver desprendido da necessidade compulsiva de ter sucesso. O principal, ao contrário do que os pregadores da motivação proclamam, é ser especial por dentro, ainda que simples por fora.

Os usuários de drogas procuram, mais do que qualquer outro ser humano, grandes aventuras, mas, para nosso espanto, transformam suas vidas num canteiro de tédio e rotina. Eles "matam a galinha dos ovos de ouro" do prazer existencial.

Parte considerável dos estímulos que causam prazer ao homem não vem das grandes conquistas, tal como a aquisição de um carro novo ou um elogio público, mas dos pequenos elementos da rotina diária, tal como um beijo de uma criança ou um olhar carinhoso.

Quem não aprende a contemplar o belo num diálogo descontraído e no colorido das flores, enfim, nos pequenos detalhes da vida, será invariavelmente um miserável no território da emoção, ainda que seja culto, tenha *status* social e seja abastado financeiramente. O homem moderno, em geral, apesar de ir ao cinema, ter uma TV, acessar a Internet e possuir diversas outras formas de entretenimento, não é alegre, seguro e livre dentro de si mesmo. Se o homem moderno tem tal tendência, imagine o caos emocional que não enfrenta os que vivem no cárcere das drogas. Estes fazem de suas vidas uma sinfonia de dor emocional.

Não encontrei até hoje um único usuário de drogas que me dissesse que sua vida era um oásis de prazer, mas encontrei diversos que me disseram que ela se tornou um deserto sem sabor.

Por que muitos usuários pensam em suicídio? Por três grandes motivos: 1º) perdem a capacidade de sentir prazer pela vida; 2º) não adquirem habilidade para trabalhar suas perdas e frustrações; e 3º) não sabem suportar qualquer tipo de ansiedade e humor deprimido.

Os usuários de drogas comportam-se como se fossem os mais fortes dos homens, pois, se necessário, colocam suas vidas em risco para obter a droga, mas, no fundo, são frágeis, pois não suportam qualquer tipo de sofrimento. A dor emocional é um fenômeno insuportável para eles. A dor que qualquer velho ou criança suporta, eles não suportam. Por isso, buscam desesperadamente uma nova dose de droga para sentir alívio. Nesse sentido, muitos usuários, após ficar dependentes, usam as drogas como tranqüilizantes e antidepressivos, ainda que elas sejam ineficazes.

Quanto mais se envolvem nesse círculo vicioso, mais se deprimem. Quanto mais fogem da solidão, mais solitários ficam. Quanto mais fogem da ansiedade, mais se tornam parceiros da irritabilidade e da intolerância. Nos capítulos iniciais de sua relação com as drogas, vivem a vida como se ela fosse uma primavera incansavelmente bela, mas, nos capítulos finais, perdem todas as flores que financiam o encanto da existência, e transformam-na num inverno inesgotável. Nas primeiras doses sentem-se imortais, zombam do mundo e o acham careta, mas com o passar do tempo matam-se um pouco a cada dia. Definitivamente, usar drogas é um desrespeito à própria inteligência.

A questão das drogas é muito mais séria do que a questão moral ou a jurídica a elas atinentes. Elas não devem ser usadas porque são proibidas e nem somente porque trazem prejuízos físicos, mas porque encerram a emoção num cárcere, esfacelam o sentido da vida e destroem o mais nobre dos direitos humanos: a liberdade.

A sabedoria de um homem não está em não errar e não passar por sofrimentos, mas no destino que ele dá aos seus erros e sofrimentos. Quem consegue eliminar todos os erros e angústias da vida? Ninguém! Não há uma pessoa sequer que não passe por desertos emocionais. Os sofrimentos podem nos destruir ou nos enriquecer. Todas as pessoas portadoras de alguma doença psíquica, incluindo os dependentes de drogas, não deveriam se punir e mergulhar numa esfera de sentimentos de culpa, não importa a extensão de sua doença e a freqüência de suas recaídas. Ao contrário, devem assumir com coragem e desafio suas misérias e usá-las como fertilizante para enriquecer sua história. Nisto consiste a sabedoria.

Não devemos esquecer de que os que passam pelo caos e o superam ficam mais bonitos por dentro. Os que passam pela depressão, síndrome do pânico, dependência de drogas, e as vencem, tornam-se poetas da vida. Conquistam experiência, solidariedade e sabedoria.

### 3. Nunca desistir de si mesmo

Por que o tratamento de uso de drogas é um dos mais difíceis de ser realizado, seja por meio de clínicas de internação, seja por meio de consultas ambulatoriais? Porque o problema não está, como pensa o senso comum, nas drogas enquanto substância química. O problema está, como estudaremos, no rombo que elas produzem no inconsciente, na história anônima arquivada na memória.

A cirurgia cardíaca foi, durante muitos anos, a intervenção médica com menores possibilidades de êxito. Hoje, a possibilidade de uma pessoa morrer no ato operatório ou pós-operatório é mínima. O sucesso ultrapassa 99% dos casos.

E no caso de dependência de drogas, qual é a porcentagem de recuperação? Faltam estatísticas em todo o mundo. Uma estatística só é válida se ela acompanha os pacientes após anos de tratamento. Contudo, sabemos que as possibilidades de sucesso no tratamento da farmacodependência, embora reais, dependem muito da colaboração do paciente e representam uma das mais baixas da Medicina.

Em muitas clínicas, somente 20 a 30% dos pacientes que procuram ajuda espontânea param de usar a droga; isso se considerarmos dois anos de abstenção como critério mínimo de recuperação. Os índices de eficiência do tratamento de câncer são freqüentemente maiores do que os da dependência de drogas. Porém, é possível aumentar esses índices se o paciente colaborar com o tratamento e seguir determinados princípios, dos quais dois são fundamentais: 1º) ter a firme convicção de não querer ser uma pessoa doente; e 2º) nunca desistir de si mesmo.

## 4. Deus, a Psiquiatria e a Psicologia

O tratamento psicológico é importante, mas existe algo que a Psiquiatria e a Psicologia não conseguem fazer, que é resgatar o sentido da vida dos dependentes. Eles precisam da Ciência, mas também precisam de Deus, de crer e respeitar a vida e de amar o seu Criador. A vida é um espetáculo tão grande que a Ciência não consegue descrevê-la.

O que é a vida? Não há linguagem que possa descrevê-la plenamente. É possível escrever milhões de palavras sobre a vida e, ainda assim, ser impreciso e injusto em relação às suas dimensões. Vivemos na bolha do tempo. As questões mais básicas concernentes à vida não foram resolvidas: quem somos? Para onde vamos? Como é possível resgatar a identidade da personalidade se, após a morte do cérebro, os segredos da memória se esfacelam em bilhões de partículas? Que pensador ou cientista conseguiu ao longo da História dar respostas a essas perguntas? Se as procuraram apenas nos solos da Ciência, foram enterrados junto com suas dúvidas.

Comentarei no final deste livro que, no passado, eu achava que Deus era apenas fruto da imaginação humana. Acreditava que a busca por Deus era uma perda de tempo. Hoje penso totalmente diferente. Embora seja crítico do misticismo e procure ser bem científico naquilo que faço, percebo que há um "buraco" no cerne da alma e do espírito humano que os antidepressivos e as intervenções psicológicas não conseguem preencher, este lugar só o Autor da vida pode atingir.

Os farmacodependentes não são pessoas desprovidas de inteligência. Ao contrário, muitos deles são críticos da sociedade e têm tendência para procurar grandes respostas filosóficas para a vida, mas como não as encontram, eles passam a procurá-las nas drogas. Todavia, essas respostas deveriam ser procuradas dentro de si mesmos.

Podemos ajudar os pacientes a superar a farmacodependência, os transtornos depressivos, a síndrome do pânico e outros transtornos ansiosos, mas não podemos devolver-lhes o prazer de viver e o sentido da vida. A Psiquiatria e a Psicologia tratam das doenças psíquicas, mas não sabem como fazer o homem ser alegre. Se soubessem, os psiquiatras e os psicólogos seriam os homens mais felizes da Terra, mas, infelizmente, não são poucos os que entre eles também têm humor basal triste e desenvolvem depressão.

Na minha experiência clínica, tenho visto claramente que a busca por Deus, independentemente de uma religião, se feita com consciência, pode trazer saúde e tranqüilidade no território da emoção. No livro *Análise da inteligência de Cristo – O Mestre da sensibilidade* demonstrei que Jesus Cristo cresceu num ambiente agressivo e estressante. Ele tinha todos os motivos para ter depressão e ansiedade, mas, para nossa surpresa, era saturado de alegria e segurança. Mesmo no ápice da sua dor, ele conseguia fazer brilhar sua inteligência.

## 5. Superando o caos

Se o dependente se psicoadaptar à sua miséria, se não tiver mais esperança de que pode ser livre, não há como ajudá-lo, pois engoliu a chave da sua liberdade. Do mesmo modo, se um paciente com depressão ou obsessão crônica conformar-se à sua doença, e não acreditar que poderá resolvê-la, ter-se-á tornado seu pior inimigo, terá criado uma barreira intransponível que o impede de ser ajudado. É preciso romper a ditadura do conformismo, caso contrário, nunca encontraremos a liberdade.

Um dos maiores inimigos do homem é sua baixa auto-estima. A auto-estima não como orgulho superficial e auto-suficiente, mas como respeito e consideração pela vida, é fundamental. O homem que despreza sua vida e a enxerga como uma lata de lixo, jamais terá condições de romper o cárcere da sua doença.

É possível resolver as doenças mais graves e crônicas na Psiquiatria, mesmo que já tenha havido tratamentos anteriores fracassados. O importante é não desistir nunca, jamais abandonar a si mesmo. É possível recomeçar sempre, retomar as forças e abrir as janelas da mente para uma nova vida.

Nesses anos todos de pesquisa psicológica, percebi que nada cultiva mais uma doença do que ter uma postura "coitadista" diante dela, colocar-se como pobre miserável diante da vida. Por outro lado, nada destrói mais uma doença e esfacela seus mecanismos inconscientes do que enfrentá-la com coragem e inteligência.

Vi homens se levantarem do caos e conquistarem uma nova vida. Vi pessoas que tinham mais de vinte anos de dependência de drogas que, por diversas vezes, quase morreram por *overdoses* e que se sentiam impotentes diante do cárcere da dependência, mas, por fim, a venceram. Vi pessoas com mais de trinta anos de depressão grave, que passaram nas mãos de muitos psiquiatras, tomaram quase todo arsenal medicamentoso disponível, tinham perdido completamente a esperança de vida e, por fim, resgataram o prazer de viver. Vi pacientes portadores de graves síndromes do pânico, que tiveram fobia social como seqüela, que deixaram de conviver socialmente por mais de quinze anos, mas superaram a fobia e voltaram a brilhar socialmente. Vi pessoas que tinham transtornos obsessivos por décadas e sofriam como os mais miseráveis dos homens em razão de suas idéias fixas de conteúdo negativo, todavia aprenderam a gerenciar seus pensamentos e voltaram a ter encanto pela vida.

Enfim, vi pacientes considerados irrecuperáveis, desanimados por tantos tratamentos fracassados, conseguindo resgatar a liderança do eu nos focos de tensão, enfrentando com ousadia não apenas a sua doença, mas seu próprio desânimo. Tais homens deixaram de ser espectadores passivos e tornaram-se agentes modificadores de sua miséria.

## 6. Um debate sério

Neste livro, pretendo fazer um debate sério sobre a farmacodependência e outras doenças. Um debate sério não implica desânimo, embora mostre a gravidade do problema. Talvez o maior desafio da Medicina e da Psicologia moderna seja o tratamento da farmacodependência. É possível reescrever o significado inconsciente das drogas na memória, é possível hastear a bandeira da liberdade, ainda que com lágrimas. Só não é possível mudar a história de quem está morto.

Os governos deveriam ser mais sensíveis em relação a este grave problema social. Por causa do cárcere das drogas, milhões de jovens estão prejudicando e até destruindo drasticamente sua personalidade, seu desempenho intelectual e, conseqüentemente, o futuro de seu próprio país. São necessários recursos e treinamentos para aumentar os índices de eficiência.

Se há uma área abandonada pela sociedade e pelo Estado é a da farmacodependência. As entidades que cuidam do tratamento ambulatorial e da internação desses pacientes precisam de apoio. Os que trabalham nessas entidades são verdadeiros heróis. Dão o melhor de si e do seu tempo para ajudar seus semelhantes e, às vezes, sem remuneração alguma ou com baixa remuneração. Doam-se como poetas anônimos.

## 7. Uma guerra formada por muitas batalhas

Uma recaída nunca deve ser encarada como a perda de uma guerra. Uma guerra é composta de muitas batalhas. Uma recaída deve ser encarada como a perda de uma das batalhas. Irrigar um usuário de drogas com esperança e estimulá-lo a continuar lutando contra a dependência, mesmo após as recaídas, é fundamental para ajudá-lo a vencer os grilhões da prisão interior.

Do mesmo modo, devemos lidar com os demais transtornos psíquicos. Se uma pessoa tiver um novo ataque de pânico ou uma nova crise depressiva, após um período de estabilidade, e não souber se reerguer, ela alimentará sua doença. É fundamental não deixar que pensamentos negativos, tais como "Eu não tenho solução" ou "Voltou tudo de novo" criem raízes na psique, caso contrário, um sentimento de desânimo paralisará a capacidade de lutar. O grande problema não é a recaída, mas o que se faz com ela.

Para evitar os deslizes ou tornar-se uma pessoa mais forte após uma recaída, é necessária verdadeira engenharia intelectual, composta de vários itens:

1º) Nunca desistir de si mesmo. Tentar sempre. Aprender a ser um agente modificador da sua história.

2º) Não se psicoadaptar à sua doença, ou seja, não se auto-abandonar.

3º) Não ter medo das suas dores e frustrações, mas trabalhá-las com dignidade.

4º) Aprender a ter prazer nos pequenos eventos da vida.

5º) Resgatar a liderança do eu nos focos de tensão (assunto a ser estudado no penúltimo capítulo).

Nenhum tratamento pode ser coroado de sucesso se os pacientes não enriquecerem sua história emocional e fortalecerem sua capacidade de administrar seus pensamentos.

Muitos prometem que nunca mais irão usar drogas. Uns dizem: "Pelos meus filhos, eu nunca mais vou usar drogas". Outros prometem: "Pelos meus pais, jamais voltarei a usar drogas". Outros ainda, tomando as lágrimas como seu endosso, proclamam: "Drogas não fazem mais parte de minha vida".

Todos são sinceros nessas afirmações? Sim. Mas por que não as sustentam? Porque não conhecem o funcionamento da mente, não compreendem a sinuosidade da construção do pensamento, não sabem que nos focos de tensão suas inteligências são travadas e tornam-se impossibilitados de raciocinar com liberdade.

Os usuários de drogas são os que mais fazem promessas no mundo e os que menos as cumprem, perdendo apenas para alguns políticos.

Deixo um recado aos que nunca usaram drogas, um recado não-moralista, mas de alguém que conhece um pouco o cárcere da emoção e pesquisa o funcionamento da mente: não é preciso usar drogas para saber seu efeito; se alguém insiste em usá-las, procure a opinião daqueles que querem se libertar delas.

A maioria das pessoas que experimenta drogas não se torna dependente. Entretanto, o uso contínuo de drogas nos arquivos da memória é tão grave que o conselho da desnecessidade de usá-las se justifica. Justifica-se tanto como a prevenção contra a AIDS. Nenhum médico de bom senso aconselha alguém a ter relação sexual com múltiplos parceiros, mesmo sabendo que dificilmente uma pessoa contrai o vírus HIV em apenas um ato sexual. Infelizmente, muitos acabam tendo a experiência do uso de drogas, apesar de toda a advertência. E, o que é pior, costumam ter a experiência quando não estão preparados para tê-la, quando estão fragilizados, atravessando conflitos e crises existenciais. Nesses momentos, eles ficam mais vulneráveis a cair nos laços da pior prisão do mundo.

## 8. A memória e os alicerces da personalidade — o fenômeno RAM

Todos os dias produzimos inúmeras cadeias de pensamentos, ansiedades, sonhos, idéias negativas, pensamentos antecipatórios, angústias, prazeres, que são arquivados automaticamente na memória. Em um ano, registramos milhões de experiências.

O registro das experiências na memória é involuntário, não depende da vontade consciente do homem. Você pode ser livre para ir aonde quiser, mas não é livre para decidir o que quer registrar na sua memória. Se viveu experiências ruins, elas se depositarão nos porões inconscientes da memória. Se hoje passou por uma angústia, uma situação de medo, uma crise de agressividade, tenha certeza de que tudo isso está registrado em sua memória.

Cuidar da qualidade daquilo que é registrado em nossas memórias é mais importante do que cuidar de nossas contas bancárias. Nestas, você deposita dinheiro; naquelas, você faz os depósitos que financiarão a sua riqueza emocional.

À medida que as experiências são registradas automaticamente na memória, ocorre a formação da história de vida ou história da existência. Os beijos dos pais, as brincadeiras de crianças, os desprezos, os fracassos, as perdas, as reações fóbicas, os elogios, enfim, toda e qualquer experiência do passado forma a colcha de retalhos do inconsciente da memória que influencia nossas reações no presente.

Os computadores necessitam de comandos para registrar, isto é, para "salvar" as informações. Porém, a história é muito importante para a produção da inteligência, inclusive para termos a própria capacidade de decisão, já que a mente não nos dá a liberdade de querer tê-la ou não.

Cada pensamento e emoção são registrados automaticamente por um fenômeno que chamo de RAM (Registro Automático da Memória). O homem não teria compreensão dos seus direitos se não tivesse uma história. Sem ela, ele nem mesmo produziria pensamentos ou teria consciência da sua existência. Dessa forma, o tudo e o nada, o ter e o ser seriam a mesma coisa para ele.

Todas as experiências que possuímos são registradas na mesma intensidade? Não! Existem diversas variáveis que influenciam o registro. Uma delas é o grau de tensão positiva ou negativa que as experiências possuem. As mais dolorosas ou prazerosas são registradas com mais intensidade.

O fenômeno RAM registra com mais intensidade as cadeias de pensamentos que tiverem mais ansiedade, tensão, apreensão ou prazer. Se vivenciarmos uma experiência angustiante diante de um fracasso, poderemos tentar evitar registrar essa experiência, mas não adianta, ela será registrada involuntariamente e, de maneira privilegiada, em virtude da intensa ansiedade que a acompanha.

Devemos estar claros em relação a esses assuntos. Toda vez que temos uma experiência com alto comprometimento emocional, tal como um elogio, uma ofensa pública, uma derrota, um fracasso, o registro será privilegiado. Por ser privilegiado, tal registro pavimentará as avenidas importantes da nossa maneira de ser e de reagir ao mundo. Por isso, é muito importante que as crianças sejam alegres, tenham amigos, brinquem e tenham um clima saudável para expor o que pensam.

As crianças têm de ter infância, têm de registrar uma história de prazer, criatividade e interação. Uma criança alegre gerará um adulto com alta capacidade de prazer de viver. Uma criança rígida gerará um adulto engessado, tímido, inseguro.

Não é saudável que as crianças cresçam exclusivamente diante da TV, dos videogames, da Internet e fazendo todos os tipos de cursos, tais como línguas e computação. A história arquivada na memória de uma criança define os pilares mestres do território da emoção e do desempenho intelectual de um adulto.

Felizmente, a emoção não segue a matemática financeira. Às vezes, temos crianças que passaram por tantas dificuldades e sofrimentos na infância, mas, por alguns mecanismos próprios, aprenderam a filtrar os estímulos estressantes do ambiente. Assim, apesar do caos da infância, elas se tornaram alegres e seguras.

Resumindo, temos três situações importantes. Primeiro, o fenômeno RAM registra automaticamente as experiências. Segundo, o fenômeno RAM tem afinidade com as experiências de maior tensão. Terceiro, a retroalimentação, a ser estudada adiante, determinará a dimensão do conflito que uma determinada pessoa vai ter. Aplicando esses princípios psíquicos no uso de drogas, entenderemos a confecção do cárcere interior em que certas pessoas se envolvem sem perceber.

## 9. Velhos em corpos jovens

As pessoas dependentes de drogas possuem uma quantidade de experiências emocionais muito maior do que os que não as usam. Essas experiências também são qualitativamente mais tensas do que a média dos mortais. Elas estão saturadas de ansiedade, humor deprimido, desespero, situações de risco de vida, frustrações. O fenômeno RAM vai registrando continuamente essas experiências em zonas privilegiadas da memória, o que as deixa mais disponíveis para serem lidas e utilizadas.

Qual o resultado disso? Um dos mais graves é que muitos jovens queimam etapas preciosas da vida. Jovens fisicamente tão novos produzem em poucos anos um filme de terror em seu inconsciente. Em poucos anos, adquirem um estoque de experiências que muitos velhos jamais terão em toda a sua jornada de vida. Isso pode ocorrer também com as pessoas que se submetem a um estresse intenso e contínuo, a uma competição profissional predatória e sem tréguas ou a portadores de determinados transtornos ansiosos e depressivos.

Há poucos dias atendi mais um paciente farmacodependente com uma história dramática. Perguntei-lhe se ele já tinha tido idéias de suicídio. Respondeu-me sem titubear que "muitas". Indaguei se ele tinha perdido o prazer de viver. Disse-me, com todas as letras, que tinha perdido o sentido da vida. Mostrei-lhe que o fenômeno da psicoadaptação o havia envelhecido emocionalmente, que muitos velhos que estão nos asilos eram mais felizes e tinham mais ânimo de vida do que ele. Ele concordou e completou: "Não suporto ver as pessoas alegres e espontâneas ao meu redor. Sinto raiva e inveja delas, pois não consigo mais ter prazer pela vida".

Esse paciente usa drogas há quinze anos. Nos últimos anos, usava cocaína e crack quase cotidianamente. Sua idade biológica é de vinte e nove anos, mas, emocionalmente, talvez ultrapasse os cem. Todavia, apesar de estar vivendo a pior prisão do mundo, ele pode se libertar, como tantos outros, dessa prisão e voltar a ser livre nos seus pensamentos e rejuvenescer a sua capacidade de sentir prazer pela vida. O primeiro passo para alguém conquistar sua liberdade é não se conformar com sua miséria: assumir a sua doença, mas jamais se conformar com ela. Este princípio vale para todas as doenças psíquicas.

## 10. O único lugar em que é inadmissível envelhecer

É um fato doloroso, porém verdadeiro: encontrei muitos velhos em corpos jovens. Jovens que perderam a singeleza e o encanto da vida, envelheceram no único lugar em que é inadmissível envelhecer o território da emoção. É natural que o corpo envelheça, mas é anormal que a emoção se torne velha. Tal envelhecimento gera uma vida entediada, triste, sem sabor e insatisfeita. Por isso muitos dependentes desencadeiam depressão com freqüência.

O efeito psicotrópico das drogas, seja ele estimulante, tranqüilizante ou alucinatório, associado às mais diversas situações emocionais, no momento do uso, faz com que o fenômeno RAM produza um filme que rouba o brilho de suas vidas. A recuperação de um farmacodependente, como estudaremos, é muito mais complexa do que a abstinência do uso de drogas. É necessário reaprender a viver, reaprender as linhas básicas da contemplação do belo.

Após ter consciência do cárcere da dependência, eles dizem unanimemente: "Eu jamais queria ter conhecido as drogas". Outros indagam, indignados: "Por que não consigo ser livre?". Outros, num lampejo de um sonhador, comentam: "Gostaria de resgatar meu prazer de viver e admirar a beleza das flores".

De fato, um dos maiores problemas dos usuários de drogas, e que até hoje não é compreendido nos compêndios da Psiquiatria e da Psicologia, é que o filme da memória não pára de ser rodado. Cada vez que usam as drogas, algumas cenas são filmadas em zonas privilegiadas da memória. Uma emoção flutuante, insatisfeita e intranqüila vai, pouco a pouco, sendo tecida. Uma mente sem metas e sonhos vai sendo formada, clandestinamente. Uma personalidade insegura, instável e sem coragem para mudar os destinos da vida vai sendo construída.

Estudaremos que o grande problema, ao contrário do que se pensa na Educação, é que a memória não pode ser apagada, deletada e nem sequer eliminada, mas reeditada. O maior desafio terapêutico não é apenas fazer o usuário afastar-se temporariamente da substância química, mas conduzi-lo a reeditar o próprio filme de sua história, o que significa reescrever o *script* da própria vida.

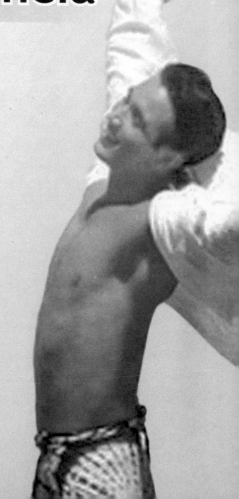

# O caráter da dependência

O sofrimento
dos que buscam
liberdade, mas
acabam numa
prisão

Embora seja assunto de todas as camadas sociais e dos meios de comunicação, a problemática "drogas" permanece obscura, senão deturpada, sujeita a interpretações vagas, até mesmo entre os profissionais de saúde mental. Por isso, vale insistir nos esclarecimentos:

> As causas que induzem um jovem a iniciar o uso de drogas são muito complexas e envolvem fatores psíquicos, familiares e sociais; a dependência física e a psicológica mantêm-no preso no tempo e podem tirar-lhe a vida ou prejudicar-lhe o desempenho intelectual e profissional.

Sob o domínio de necessidades imperiosas provocadas pela dependência, o usuário de drogas continua a ingeri-las, até mesmo contra sua própria vontade, para eliminar o sofrimento e, conseqüentemente, tentar obter algum prazer.

# 1. O paradoxo da busca do prazer e o encontro com a dor

No diálogo com os dependentes, descobre-se uma incrível contradição a respeito do uso de drogas. O que as pessoas, em sua maioria jovens, buscam e sonham encontrar é totalmente divergente daquilo que realmente encontram. Procuram aventura e liberdade, e acabam presos na mais amarga das prisões. Querem um mundo diferente daquele oferecido por suas famílias e pela sociedade, mundo no qual nada os controlará, no qual farão suas "viagens" sem ser importunados, mas acabam transformando-se nos mais restritos, nos mais manipulados dos seres, controlados por substâncias tão minúsculas e insignificantes.

# 2. Exemplo de um caso verídico

Qualquer pessoa que usa drogas conseguirá enxergar-se um pouco na história desse jovem dependente. Vamos conhecer a história de um dos meus pacientes.

Ele se chama J. V. e tem 26 anos. Abandonou a faculdade quase no fim do curso. Pertence a uma família de bom nível cultural e financeiro, passou a infância sem grandes conflitos, embora tivesse uma postura auto-suficiente que o levava a reagir antes de pensar, e tinha dificuldades de se colocar no lugar dos outros.

Tinha problemas de relacionamento com os pais, que tentavam inutilmente trazê-lo para o convívio mais íntimo com a família. Aos 12 anos, criticava o namorado da irmã porque ele usava maconha. Parecia que era avesso às drogas, mas não tinha metas bem estabelecidas nem grandes sonhos. Determinado dia, sob a influência de amigos, que é uma das mais importantes causas do uso de drogas, começou a usar aquilo que aparentemente rejeitava.

Começou a fumar maconha, mas jamais com o intuito de ficar dependente, apenas para "curtir um momento". Para aliviar sua consciência, dava a desculpa de sempre: "O cigarro causa mais prejuízo do que a maconha". Queria justificar o uso de uma droga por meio de outra, o cigarro, embora este seja comercialmente aceito e socialmente livre.

Sabe-se, principalmente porque a Ciência o estudou mais, que o cigarro provoca mais prejuízos físicos do que a maconha, do enfarto ao câncer. Contudo, o tetrahidrocanabinol, substância psicoativa da maconha, prejudica mais o território da emoção do que a nicotina do cigarro. Em virtude do seu alto potencial tranqüilizante, a maconha conduz os usuários contínuos a encolher sua capacidade de motivação e liderança. Eles se tornam pessoas sem garra, sem dinamismo, sem intrepidez e coragem para ocupar seus espaços profissionais e para transpor obstáculos sociais. Infelizmente, ninguém comenta ou estuda esse assunto.

J. V. inicialmente era um consumidor esporádico. Com o decorrer do tempo, passou a consumidor contínuo e, durante treze anos, fez uma verdadeira escalada na utilização de drogas, passando por muitas delas: moderadores de apetite, xaropes antitussígenos, que contêm codeína na fórmula, chá de cogumelo, LSD, calmantes, cocaína, *crack* e merla (pasta básica de cocaína) etc.

Nos últimos cinco anos, sua vida social estava totalmente irregular. Não trabalhava, dormia até o meio-dia. Entretanto, dizia ser o mais controlado no grupo de amigos de "vício", cuidando para que eles não se excedessem, pois temia os efeitos da overdose, já que alguns haviam morrido por parada cardiorrespiratória. Mas isso não evitou que ele próprio se tornasse grande consumidor de cocaína e traficante intermediário para sustentar o alto custo do seu vício.

Nessa fase, chegou a ter um quilo de cocaína nas mãos. Estava tão aprisionado dentro de si mesmo que não percebia os graves riscos que corria, inclusive o de passar vários anos numa cadeia. Paradoxalmente, quem insistia para que os amigos não exagerassem nas doses foi sendo gradativamente manipulado pela droga, começando a tomar doses cada vez mais elevadas.

Em apenas uma noite, chegava a fazer vinte aplicações de cocaína nas veias, doses que para a maioria das pessoas seria letal, embora mencionasse que sentia sérias alterações no ritmo cardíaco e respiratório. Toda vez que tomava a droga, J. V. controlava atentamente sua freqüência cardíaca, sempre temeroso de sofrer morte súbita, e mesmo esse medo da morte não conseguia libertá-lo de sua prisão interior.

## 3. Alguns princípios da terapia multifocal

Esse paciente passou por alguns tratamentos psicológicos e psiquiátricos frustrantes e, por fim, chegou ao meu consultório desanimado e desconfiado. Apliquei os princípios da terapia multifocal, a ser estudado nos textos finais. Ele não mais acreditava que alguém pudesse ajudá-lo.

Primeiramente, procurei criar no ambiente terapêutico um clima inteligente, irrigado com diálogo aberto, franco, sem preconceitos. Nesse ambiente, tentei conquistar a confiança dele, principalmente valorizando suas qualidades da personalidade, para resgatar sua auto-estima e mostrar que compreendia a sua dor e suas fragilidades.

Em segundo lugar, procurei mostrar-lhe que estar sob o domínio das drogas é uma doença e que ele precisava enfrentar um tratamento de maneira totalmente nova; ele precisava esquecer as frustradas tentativas anteriores e recomeçar tudo. Realcei que a sabedoria não está em não errar, mas em usar os erros como alicerce para a maturidade.

Em terceiro lugar, empenhei-me em ajudá-lo a resgatar a liderança do eu nos focos de tensão, em conduzi-lo a ter uma vontade dominante, encorajando-o a ser mais forte que o seu impulso para a droga. Mostrei-lhe o absurdo da situação: um ser humano tão inteligente controlado por substâncias tão ínfimas.

Por fim, trabalhei no sentido de fazê-lo perder a representação psicológica inconsciente que as drogas possuíam na sua personalidade. Esse último passo foi o mais importante. Vejamos.

## 4. Uma história de amor

Para se entender o que aconteceu, vamos dar um exemplo e estabelecer uma comparação.

Quando um jovem termina o romance com a namorada, mas ainda continua a pensar nela, a namorá-la em seus sonhos e, quando a vê, tem taquicardia e outros sintomas físicos, então a possibilidade de ele reatar esse romance é grande, pois a jovem ainda representa algo importante para ele, embora esteja fisicamente separado dela.

O mesmo acontece com a dependência das drogas. Quando um jovem pára de usá-las, mas ainda pensa nelas, sonha com elas e se lembra dos efeitos que elas propiciavam quando estava atravessando algum conflito ou se ainda sente desejo por elas, quando alguém lhe oferece, então é muito provável que, um dia, ele volte a usá-las, pois o "romance" ainda não terminou nos porões de sua memória.

O paciente J. V, atualmente, está perdendo a representação psicológica das drogas. Agora levanta cedo e vai trabalhar.

Resgatou o prazer de viver. Seu relacionamento familiar melhorou, existe diálogo e uma proximidade maior entre ele e seus familiares.

Não é suficiente que se pare de usar as drogas, é preciso que elas percam sua representação interior, ou seja, o significado psicológico que ocupam na vida da pessoa. Caso contrário, o romance poderá ser reatado um dia, principalmente porque as drogas estão sempre disponíveis.

## 5. Nem tudo o que propicia prazer é saudável

A partir do relato da experiência desse jovem, não se pode negar que as drogas proporcionam prazer aos usuários. Não há por que se surpreender com isso, embora quando se instala a dependência, eles as usam mais para aliviar suas angústias existenciais. Não fosse assim, elas não atrairiam tantas pessoas.

Nem tudo o que dá prazer é saudável e recomendável. O que devemos ver, o que devemos contar aos jovens, são as conseqüências físicas e psicológicas que seu uso acarreta. Imagine uma pessoa no topo de um edifício, com vontade de saltar lá de cima como se fosse uma ave, para experimentar a liberdade. Por alguns segundos ela poderá sentir algum tipo de prazer. Porém, ao término de sua curta viagem, sofrerá o impacto com o solo. Isso não é prazer, mas suicídio.

Do mesmo modo, não importa se as drogas produzem ou não prazer, se proporcionam viagens curtas ou longas, suas conseqüências, especialmente quando se constrói uma representação doentia no inconsciente, são sempre destrutivas.

Não usar drogas não é suficiente para tornar uma pessoa segura, livre, lúcida e empreendedora, pois, para alcançar tais características, é necessário desenvolver as funções mais importantes da inteligência. Não usar drogas, portanto, não quer dizer viver uma bela primavera, entretanto, manter um "romance" com elas certamente significará viver num longo e rigoroso inverno existencial.

Precisamos usar o máximo de criatividade e inteligência para podermos realizar uma prevenção eficiente, e, assim, evitar que muitos caiam nesse fosso emocional. A educação escolar pode dar uma excelente contribuição nesse processo. Entretanto, infelizmente, ela tem sido ineficiente. Vejamos uma pesquisa.

## 6. A Educação precisa passar por uma revolução

Tenho dado conferências e cursos a centenas de educadores, por isso tenho sentido de perto o caos em que está a Educação. A Educação no mundo inteiro está passando por crise. Estamos formando homens cultos, mas não homens que pensam. Estamos formando homens que dão respostas ao mercado, mas não homens maduros, completos, que sabem se interiorizar, pensar antes de reagir, expor e não impor as suas idéias, trabalhar em equipe, homens que amam a solidariedade, que sabem se colocar no lugar do outro.

A crise educacional me motivou a fazer uma ampla pesquisa no País sobre a qualidade de vida dos educadores e dos alunos, bem como sobre a qualidade da educação social. O início foi no começo do ano 2000 com educadores de centenas de escolas. Nesta pesquisa, investigo os sintomas psíquicos e psicossomáticos, os graus de estresse, as causas psíquicas e sociais, a relação professor/aluno, professor/escola e aluno/escola e a qualidade da educação social ligada à prevenção de drogas, AIDS e educação sexual. Os dados iniciais relativos à prevenção do uso de drogas são até chocantes.

Perguntei aos educadores:

O que você acha da prevenção de drogas na sua escola?

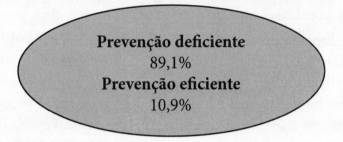

**Prevenção deficiente**
89,1%
**Prevenção eficiente**
10,9%

Os números de fato são alarmantes. Apesar de a Educação ter professores ilustres, ela é ineficiente na prevenção do mais grave problema social da atualidade. Grande parte dos professores declarou com honestidade que a educação social está falida, e isso não só em relação à prevenção de drogas.

O que os nossos alunos estão aprendendo ao longo de sua história educacional? Estão aprendendo Matemática, Física, Química, Biologia, mas não estão aprendendo a viver, a proteger suas emoções e a desenvolver a arte de pensar. A Educação precisa passar por uma revolução. Os professores deveriam ser treinados e equipados para poder atuar no campo da prevenção e da qualidade de vida dos alunos. Deveriam ser mais bem remunerados para ter uma vida digna e menos estafante. Educar é uma das tarefas mais prazerosas, mas também uma das mais desgastantes da inteligência.

Os dados iniciais da qualidade de vida dos educadores mostram que eles são verdadeiros heróis anônimos. Muitos estão tão estressados que não têm nenhuma condição de dar aula, mas ainda assim, por amor à profissão e pelo prazer poético de ensinar, estão em plena atividade. A quantidade de sintomas psíquicos e psicossomáticos que a classe dos educadores está experimentando é enorme, tais como insônia, desmotivação, cansaço físico exagerado, humor deprimido, hiperaceleração de pensamentos, ansiedade, cefaléia, vertigem (tontura).

A educação social fica difícil de ser realizada não apenas pelos problemas propriamente ligados à escola, como também pelos problemas ligados à personalidade dos alunos e pela qualidade de vida debilitada dos educadores. Grande parte dos alunos só se preocupa com o prazer imediato, está alienada socialmente e não pensa no futuro nem nas conseqüências do seu comportamento. Os resultados disso? Um dos mais graves é que a sala de aula se torna muitas vezes uma verdadeira praça de guerra e não um canteiro de inteligência ou um ambiente de prazer.

Professores e alunos estão em mundos diferentes, com objetivos distintos. De um lado, estão os professores querendo ensinar, e, de outro, estão os alunos, cuja maioria, com as devidas exceções, não tem, como Platão proclamava, o deleite pelo conhecimento, o prazer de aprender. Na época de Platão, o mestre era quase que exclusivamente a única fonte do conhecimento. Hoje, as fontes multiplicaram-se. Os professores são apenas uma fonte a mais. Eles, aos olhos dos alunos, se tornaram pessoas desinteressantes, que não conseguem competir com a TV e a Internet e outros meios de comunicação. Tenho repetido que a psicopedagogia escolar precisa passar por uma verdadeira reviravolta para que os professores conquistem novamente o *status* de mestre. Contudo, esse é um assunto para outra publicação.

Se já é difícil ensinar as matérias clássicas, exteriores à vida dos alunos, imagine como não seria difícil ensinar matérias que os estimulem a pensar, a rever suas rotas de vida, a lidar com suas emoções! Por isso, diante da crise educacional atual, a prevenção de doenças psicossociais, como a produzida pelas drogas, tem sido mínima.

Todos os dias, milhares de jovens estão iniciando o uso de drogas e muitos deles ficarão dependentes e terão o curso de suas vidas totalmente alterado. Como os alunos desenvolverão uma personalidade saudável se eles só conseguem olhar o mundo com seus próprios olhos, se não conseguem se colocar no lugar do outro e não têm o mínimo de defesa emocional contra as doenças que confinam a inteligência num cárcere?

Se melhorarmos a qualidade de vida dos educadores, treinando-os para que conheçam o funcionamento da mente e sejam capazes de estimular as funções mais importantes da inteligência dos alunos, será possível reverter este quadro[3]. Todavia, se não o revertermos, as sociedades modernas se tornarão uma fábrica, cada vez maior, de doenças psíquicas.

---

[3] A Academia de Inteligência é um instituto dirigido pelo Dr. Cury para treinamento de psicólogos profissionais de recursos humanos e educadores. Endereço no final desta edição.

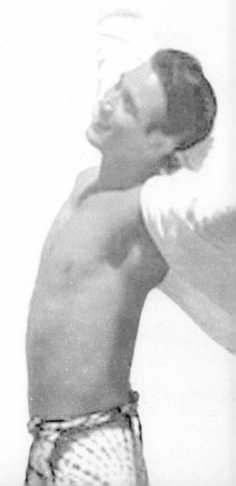

# O funcionamento da mente

A Ciência pesquisa
o mais grave
problema social

O que acontece no inconsciente que faz com que a dependência se torne o mais drástico cárcere da inteligência ou a pior prisão do mundo? Por que, em todo o mundo, milhares de jovens colegiais e universitários, que têm acesso a tantas informações, não conseguem usar sua cultura para romper com as algemas dessa prisão? Precisamos entrar em algumas áreas ocultas da mente para desvendar esse processo.

A dependência de drogas não atinge apenas os jovens. Conheço também diversos pais, professores, empresários e executivos que se tornaram dependentes, e, infelizmente, deve haver milhares deles espalhados pela sociedade moderna. Por que tais pessoas, que têm consciência do cárcere das drogas, também enfrentam grande dificuldade para reconstruir novos capítulos em suas vidas? O que faz com que pessoas lúcidas sejam prisioneiras no território em que deveriam ser mais livres? Além de compreender o funcionamento da mente, também precisamos compreender o significado da droga no inconsciente, para dar respostas mais seguras a essas perguntas.

Antes de começar a respondê-las, gostaria de fazer uma crítica à Ciência. Eu disse que o governo dá atenção superficial ao campo da prevenção e do tratamento da dependência das drogas, mas a Ciência também é omissa em relação a essa dependência.

Há cientistas, financiados pelas indústrias farmacêuticas, gastando o melhor tempo de suas vidas em ricos institutos de pesquisa para descobrir as causas, fisiologia e tratamento de determinadas doenças. Como tais pesquisas resultarão em medicamentos que trarão enorme retorno financeiro, essas indústrias nem se importam em gastar bilhões de dólares em pesquisas. No entanto, como a dependência de drogas não traz retorno financeiro, ela é uma área abandonada, os poderosos laboratórios não financiam pesquisas nesse campo. Nossos jovens estão sendo destruídos, e poucos se importam com isso.

Há milhões de pessoas que vivem no cárcere das drogas, incluindo o álcool e medicamentos psicotrópicos sem orientação médica, dos quais se destacam os tranqüilizantes e os moderadores de apetite, mas raramente encontramos pesquisadores, mesmo nas universidades, preocupados com esse grave problema social.

A falta de pesquisa tem gerado uma série de dúvidas importantes. Espero que algumas delas sejam dissipadas neste livro. Por exemplo, vamos retomar o famoso e polêmico caso do uso da maconha.

Há muitas dúvidas sobre a intensidade do mal que essa droga causa. Sabe-se que ela pode alterar a formação dos espermatozóides, diminuir a imunidade e impregnar o cérebro com sua substância psicoativa, o tetrahidrocanabinol, por vários dias. É comum, como disse, ouvir que o cigarro causa mais danos ao organismo do que a maconha. Diante disso, alguns indagam: por que, então, ela não é liberada? Raramente, alguém consegue dar uma resposta convincente sobre esse assunto.

Eu não sou parlamentar, portanto, não me compete legislar sobre a liberação ou não da maconha. Nem tampouco sou um pesquisador bioquímico, capaz de dar respostas precisas sobre os efeitos físicos da maconha. Todavia, como pesquisador do funcionamento da mente, quero dar algumas respostas importantes relativos aos efeitos das drogas na construção da inteligência.

Vou relatar princípios universais que ocorrem com o uso de qualquer substância psicotrópica, mesmo as medicamentosas. Como levantei a questão da maconha, vou fazer uma pausa na minha discussão e relatar sinteticamente seus efeitos nas engrenagens da mente.

A classificação das drogas, segundo o seu efeito psíquico, sofre variações de acordo com a óptica do pesquisador. A maconha pode causar alucinações, mas o seu principal efeito é tranqüilizante. Como tranqüilizante, seu efeito é potente sobre o cérebro, gerando uma desaceleração dos fenômenos que fazem a leitura da memória, retraindo, assim, o processo de construção de pensamentos e induzindo a produção de fantasias, ou seja, de experiências imaginárias sem uma relação lógica com os parâmetros da realidade.

Toda vez que uma pessoa faz uso de maconha, o fenômeno RAM registra automaticamente na memória os seus efeitos psicotrópicos. Desse modo, a tranqüilização emocional potente, as fantasias e a desaceleração da construção de pensamentos são registradas continuamente no inconsciente. Esse registro conduz à retração de algumas das funções cognitivas mais importantes da inteligência, tais como a capacidade de empreender, criar, superar novos desafios, estabelecer metas e prioridades, perseverar, motivar-se, gerenciar os pensamentos. O uso contínuo e crônico da maconha contrai, assim, as funções intelectuais, engessa a motivação e a capacidade de liderança.

O que está em jogo não é se a droga deve ou não ser proibida, pois os binômios "certo e errado", "proibido e liberado", são muito pobres. O que está em jogo é se a droga compromete ou não o pleno funcionamento da mente e o pleno desenvolvimento das funções intelectuais. O que está em jogo é se a droga financia a liberdade ou encarcera a inteligência. Ainda que alguns tipos de drogas não afetem tanto o organismo, mas se elas comprometem a capacidade intelectual e o direito de ser livre, elas não deveriam ser usadas.

Esse princípio deve ser aplicado não apenas às drogas químicas, como também às drogas "não-químicas", tais como a dependência da estética do corpo, em que cada grama de peso destrói o prazer pela vida, a dependência da Internet e tantas outras disponíveis no mundo moderno.

## 1. Três fenômenos

Vamos penetrar, agora, em algumas áreas importantes da engrenagem da mente humana para enxergar um pouco mais o cárcere da emoção produzido pelas drogas e outras doenças psíquicas.

Em primeiro lugar, quero dizer que a inteligência é mais do que emocional, como explica a criativa teoria de Goleman, e é mais do que múltipla, como tão bem esclarece a inteligente teoria de Gardner. A inteligência é multifocal. Engloba a atuação da emoção e as múltiplas áreas de desenvolvimento da inteligência, como a área musical e a área lógico-matemática. Como disse, ao longo de muitos anos, desenvolvi uma teoria original sobre o funcionamento da mente, chamada de Inteligência Multifocal. Como ela trata dos fenômenos universais que estão na base da construção dos pensamentos, ela não é uma teoria que anula as outras, mas contribui com todas elas, inclusive com as teorias aparentemente opostas, tais como a psicanálise e a comportamental.

Se compreendermos os assuntos que comentarei aqui, teremos uma nova luz para entender a gênese das doenças psíquicas. Há uma série de fenômenos que participam da construção de cada pensamento, de cada reação emocional e de cada momento em que estamos conscientes. Já comentei sobre dois deles, o fenômeno da psicoadaptação e o fenômeno RAM. Recordemos que o fenômeno da psicoadaptação leva a uma diminuição da experiência emocional frente à exposição do mesmo estímulo e o fenômeno RAM é o fenômeno que registra automaticamente todos os pensamentos e emoções na memória. A seguir, descreverei outros fenômenos importantes.

Do conjunto desses fenômenos, três participam diretamente da dependência de drogas e da produção de doenças. O primeiro é o fenômeno RAM (Registro Automático da Memória); o segundo é o fenômeno da autochecagem da memória (fenômeno do gatilho); e o terceiro é o fenômeno da âncora da memória.

Se entendermos, ainda que com limitações, a atuação desses três fenômenos, veremos o horizonte. O mecanismo da produção da farmacodependência e de outros transtornos psíquicos, tais como a depressão, a síndrome do pânico e as fobias, deixarão de ser um tabu incompreensível.

Os fenômenos do "gatilho da memória" e da "âncora da memória" serão novamente enfocados quando comentar sobre a terapia multifocal. Aqui apenas farei uma síntese deles.

## 2. O fenômeno da autochecagem da memória – O gatilho da alma

O fenômeno da autochecagem da memória, como o próprio nome sugere, autocheca na memória os estímulos psíquicos (p. ex.: fantasias), visuais e sonoros, gerando um gatilho que produz as primeiras reações, pensamentos e emoções nas mais diversas situações em que nos encontramos.

As respostas rápidas e impensadas, as reações instantâneas de ansiedade, irritação e impulsividade, as reações instintivas, os movimentos musculares produzidos sem uma determinação consciente e o menear da cabeça, concordando com nosso interlocutor ou discordando dele, são exemplos de reações produzidas pelo fenômeno do gatilho da memória. Essas reações não foram programadas ou elaboradas pelo eu, mas produzidas automática e espontaneamente.

O fenômeno da autochecagem detona o gatilho. Toda vez que vemos um objeto ou uma palavra nós os identificamos automaticamente graças ao gatilho psíquico. Ele conduz o estímulo visual até o córtex cerebral e o autocheca nos arquivos da memória. A angústia e a indignação inicial quando alguém nos ofende ou nos rejeita não foram programadas pelo eu, mas foram geradas pelo gatilho da memória. Notem que não teríamos determinadas reações instantâneas de agressividade e impulsividade se pudéssemos controlá-las. O fenômeno do gatilho da memória desencadeia as primeiras reações nas relações sociais.

O que esse fenômeno tem a ver com a dependência química? Ele é o grande responsável por detonar o desejo compulsivo de usar uma nova dose de droga, ou seja, por desencadear o cárcere da emoção.

"Um dependente tem desejo compulsivo de usar droga o dia todo, ainda que ele não seja um grave dependente? Sim!" Esse conceito é errado. Ele só vai detonar inconscientemente esse desejo em determinados momentos do seu dia, tais como, quando está na turma de amigos ou vivenciando uma experiência de solidão, angústia ou ansiedade.

Uma pessoa portadora de síndrome do pânico também é vítima do gatilho da memória. Ela pode estar tranqüila em grande parte do seu tempo, mas, de repente, por diversos mecanismos sobre os quais não cabe aqui discorrer, o gatilho é detonado, gerando uma reação fóbica intensa, um medo súbito de que vai morrer ou desmaiar. A síndrome do pânico é o teatro da morte. É totalmente possível resolvê-la, mas as reações geradas por ela são muito angustiantes.

Aprender a reescrever a história e a gerenciar a tensão produzida pelo gatilho da memória é o grande desafio terapêutico na resolução do cárcere da dependência e dos demais transtornos ansiosos, como a síndrome do pânico e as obsessões. Tais assuntos serão tratados no penúltimo capítulo.

## 3. O fenômeno da âncora da memória

A memória é formada por milhares de arquivos que se interconectam, contendo bilhões de informações e de experiências acumuladas ao longo da vida. Ela não está toda disponível para a leitura. Está acessível por território, por grupo de arquivos. Âncora da memória é, portanto, o território de leitura disponível da memória em um determinado momento da vida de um indivíduo.

Dependendo da içagem da âncora, uma pessoa terá melhor ou pior desempenho intelectual, melhor ou pior segurança, melhor ou pior condição de reagir, pensar, sentir.

Por que uma pessoa flui livremente seus pensamentos quando está sozinha ou diante dos íntimos, mas tem grande dificuldade de liberar suas idéias quando está em público? Por que um esportista pode ter um ótimo desempenho nos treinos, mas um péssimo desempenho no exato momento da competição? Tudo dependerá da disponibilidade do território de leitura da memória.

Se uma pessoa está tensa, estressada, ansiosa, em determinada situação, poderá lançar a âncora da memória, restringir seu território de leitura e, conseqüentemente, comprometer a eficiência da sua inteligência. Se lançamos a âncora, contraímos o raciocínio; se a içamos, expandimos a produção das idéias. As pessoas tímidas, por se sentirem ameaçadas e excessivamente vigiadas no ambiente social, estão continuamente bloqueando o território de leitura da memória e prejudicando sua liberdade de pensar e sentir.

A âncora da memória é muito sensível à intensidade das emoções, por isso, os transtornos psíquicos e os estímulos estressantes, se não forem bem gerenciados, poderão conspirar contra ela. Pessoas inteligentes e lúcidas poderão ter péssimo desempenho em determinados focos de tensão.

O que a âncora tem a ver com a dependência das drogas? Tudo! Quando uma pessoa detona o gatilho da memória, gerando um desejo compulsivo de usar as drogas, esse gatilho direciona a âncora para determinados arquivos ligados às experiências de drogas. Assim, o usuário não pensa em outra coisa a não ser em usar drogas. Eis o cárcere gerado pelas drogas. A mais completa definição de dependência psicológica passa pela explicação desses fenômenos.

Às vezes, o gatilho foi detonado horas antes do uso, deslocando o território de leitura da memória para as zonas da dependência. A conseqüência disso é que os usuários começam a ter um desejo quase incontrolável de usar as drogas e, por isso, trabalham engenhosamente para procurar uma nova dose, como tentativa de aliviar a tensão gerada por essa compulsividade. A face deles até muda. A serenidade é implodida. São tão controlados pela âncora da memória que mentem para si mesmos e para o mundo que não vão usar drogas, mas no fundo sabem que irão.

A mentira e o uso de drogas são dois amantes que moram na mesma casa, no cerne da alma dos dependentes.

Não é possível vencer as drogas sem aprender a ser autênticos, sem aprender a ser honestos até às últimas conseqüências. O primeiro golpe na farmacodependência é aprender a banir a mentira e viver a arte da autenticidade.

A âncora da memória tem outras funções importantes na inteligência, que aqui não detalharei. Por meio dela, produzimos um universo de pensamentos sobre um determinado assunto ou situação. Entretanto, como já disse, se ela se fecha rigidamente num território específico da memória, é capaz de exercer uma verdadeira ditadura da inteligência, que trava a capacidade de pensar. Por isso, quando afirmo que as drogas causam a pior prisão do mundo, refiro-me ao fato de os usuários, sob o jugo do desejo compulsivo de usar drogas, perderem completamente a liberdade de pensar e decidir.

A não ser que o "eu", representado pela vontade consciente, atue com coragem para abrir a âncora, para expandir o território de leitura dos arquivos da memória, o usuário será um escravo de sua dependência nos momentos de compulsão.

Ocorre o mesmo quando travamos nossa capacidade de pensar em situações tensas. A não ser que nos interiorizemos nessas situações e silenciosamente critiquemos os focos de tensão, bem como os pensamentos negativos que estamos tendo, não conseguiremos resgatar a liberdade de pensar.

Da próxima vez que travarmos nossas inteligências, vamos deixar de ser passivos e partir para um ataque íntimo e silencioso nos territórios da memória. Como fazer isso? É necessário criatividade, produzir pensamentos contra tudo o que nos está algemando. Ninguém precisa ouvir, mas devemos fazer uma verdadeira revolução clandestina, não importa onde estivermos.

Retornando à dependência de drogas, ao invés de criticarmos e marginalizarmos os usuários, deveríamos compreendê-los e acolhê-los com o maior respeito e consideração. Estudaremos como fazer isso. É fácil julgá-los e condená-los, mas é difícil colocar-se no lugar deles e perceber as amarras construídas nos bastidores de suas mentes.

## 4. A barata transformando-se em um dinossauro: o fenômeno RAM

Como vimos, o fenômeno RAM é o registro automático na memória de todas as experiências. Ele registra de maneira privilegiada as experiências que têm mais emoção, sejam elas prazerosas ou angustiantes.

Se fizermos uma varredura em nosso passado, verificaremos que temos mais facilidade de recordar as experiências mais frustrantes ou as mais alegres. Elas foram registradas em áreas importantes da memória, o que as torna disponíveis para ser lidas e utilizadas na construção de novas cadeias de pensamentos e de novas emoções.

Como as drogas produzem efeitos intensos na psique, esses efeitos ocupam espaços importantes nos arquivos inconscientes da memória. Some-se a isso, as experiências emocionais de um usuário, as quais não são nada serenas nem tranqüilas. Por serem borbulhantes, tais experiências também são registradas privilegiadamente, contribuindo para produzir o cárcere da inteligência.

Toda vez que o usuário vai usar uma nova dose de droga, sua emoção está sob um foco de tensão, caracterizado por euforia, angústia, medo, ansiedade, apreensão. Imagine o impacto que uma droga estimulante ou alucinante causa em uma emoção que já está previamente tensa. As experiências psíquicas resultantes são intensas, mais intensas do que os elogios numa festa de aniversário, o recebimento de um diploma ou a emoção de uma partida final de campeonato esportivo. Tais experiências são registradas na memória, usurpando áreas nobres que deveriam ser ocupadas por sonhos, projetos, metas, relações sociais. Por isso, como relatei, os dependentes tornam-se velhos em corpos jovens. O inconsciente deles fica saturado de experiências angustiantes e turbulentas.

Dá para entender, por meio desse mecanismo, por que os dependentes químicos, com o passar do tempo, perdem o encanto pelos pequenos detalhes da vida, perdem o interesse pelas coisas singelas e não conseguem extrair o prazer das coisas comuns e normais. Só procuram prazer naquilo que foge do padrão da normalidade. Vivem errantes, procurando grandes estímulos para sentir um pouco de prazer. Eles, mesmo odiando essa masmorra, gravitam em torno do efeito psicotrópico dessas míseras substâncias.

Um usuário de cocaína tem sensações paranóicas durante o efeito da droga. Sente uma mescla de excitação com medo e tem idéias de perseguição. A reprodução contínua dessas experiências superdimensionam a expectativa dos efeitos das drogas, retroalimentando a imagem delas no inconsciente.

Trocando em miúdos, cada vez que usam a droga e registram os seus complexos efeitos intensos, eles cavam a própria sepultura, constroem o próprio cárcere. A droga registrada no inconsciente vai, assim, pouco a pouco, ficando muito maior do que a droga química. Ela, que no início era como uma pequena barata, fácil de ser eliminada, transforma-se paulatinamente num enorme dinossauro, confeccionado no inconsciente. A imagem superampliada no território da memória aprisiona o grande líder da inteligência, o eu.

Quanto mais a droga aumenta o monstro no inconsciente, mais difícil fica eliminá-la; por isso, embora seja possível destruí-la em qualquer época da vida, é mais fácil nos estágios iniciais.

Agora fica fácil entender por que a dependência é uma atração irracional, enquanto a fobia é uma aversão irracional. A dependência é produzida quando se superdimensiona no inconsciente o objeto da atração, que, no caso, são as drogas, enquanto toda e qualquer fobia é produzida quando se superdimensiona o objeto da aversão, que, no caso, pode ser um animal ou até um elevador.

No momento em que uma pessoa está tendo uma reação compulsiva pelas drogas, sua inteligência bloqueia-se, impedindo-a de pensar com liberdade até que consiga uma nova dose da droga. Do mesmo modo, no momento em que uma pessoa está tendo uma reação fóbica, sua inteligência trava-se e ela não consegue pensar em mais nada a não ser em fugir do ambiente estressante.

Com o passar do tempo, a droga, enquanto substância química, não é mais o grande problema. O grande problema torna-se a imagem dela tecida nos bastidores da mente. Essa imagem é que sustenta a dependência psicológica.

Como apagar a imagem ou estrutura inconsciente da droga que financia a dependência psicológica? É impossível. Não se apaga nem se deleta a memória, apenas se pode reescrevê-la. Filosoficamente falando, não é possível destruir o passado para reconstruir o presente, mas é possível reconstruir o presente para reescrever o passado. Não dá para apagar o que registramos, mas podemos reorganizar, substituir, refilmar, por meio de novas atitudes, experiências, sonhos, projetos, relações sociais e novas maneiras de ver a vida e reagir aos eventos do mundo.

Freud discorreu sobre o inconsciente, mas não investigou os fenômenos que lêem a memória e constroem os pensamentos.

Por isso, não compreendeu que, para resolver os traumas do passado, é insuficiente trazê-los à consciência e trabalhá-los; é tão ou mais necessário reconstruir, a cada momento de nossas existências, um universo de idéias e pensamentos, ricos e sábios, que vão abrindo novas avenidas na memória e nos porões inconscientes.

Por que não conseguimos apagar a memória? Porque não temos habilidade para isso, nem acesso aos dados registrados e não temos sequer conhecimento de onde estão os lócus (locais) das experiências doentias, ou seja, não sabemos onde elas foram registradas. Em que áreas do nosso cérebro foram registradas nossas experiências mais angustiantes? Não sabemos.

Para termos uma idéia da complexidade da memória, apenas uma área do tamanho da ponta de uma caneta em certas regiões do córtex cerebral contém milhões de experiências e informações. Como localizá-las e deletá-las? Como separar as experiências doentias das saudáveis? — Impossível. Portanto, como estudaremos, a única possibilidade que resta ao homem é reconstruir uma nova vida, é reescrever os capítulos principais de sua nova história.

É uma corrida contra o tempo. Quanto mais tempo um usuário passa sem as drogas, mais ele vai arquivando novas experiências. Em um dia saudável, ele pode arquivar centenas ou milhares de novas experiências, reeditando assim a sua história. E se o "eu" atuar nesse processo de reconstrução, se ele resolver não ser mais doente, mas ser um agente modificador da sua história, ele impulsiona esse processo.

Repito: depois de instalada a dependência, o problema não é mais a droga, mas o arquivo registrado sobre ela. Descaracterizar o monstro virtual, desorganizar esta representação clandestina torna o tratamento da farmacodependência uma das mais complicadas engenharias da Psicologia e da Psiquiatria.

Se houver a colaboração corajosa, lúcida e completa do paciente, o tratamento poderá ser coroado de êxito, ainda que haja algumas batalhas perdidas pelo caminho; mas, se houver uma colaboração frágil, instável e parcial, o tratamento estará fadado ao insucesso.

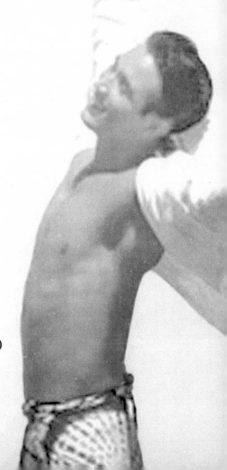

# Conceitos e definições

Científica e psicologicamente, o que são as drogas?

Conhecer alguns conceitos e definições científicos sobre o assunto é fundamental para se ter o alicerce adequado e uma melhor compreensão do problema. Veremos a seguir como são definidas as drogas que causam dependência (os chamados psicotrópicos), em que consiste a dependência psicológica e a física, e qual o significado do conceito de tolerância, fenômeno que leva os usuários de drogas a necessitar de doses cada vez maiores.

## 1. Psicotrópico (tóxico)

Psicotrópico é o nome científico dado às drogas que causam dependência psicológica e, às vezes, física. Essas substâncias entram na corrente sangüínea — por via oral, endovenosa (injeção na veia) ou por inalação e vão até o sistema nervoso central (o cérebro), onde agem, interferindo de forma ainda não totalmente esclarecida no campo de energia emocional e intelectual de um indivíduo.

## 2. Farmacodependência (toxicomania)

Farmacodependência é "o estado psíquico, e às vezes físico, causado pela ação de um fármaco (droga) em um organismo vivo, o que modifica o comportamento e gera um desejo irreprimível de tomar a droga de forma contínua ou periódica, com o objetivo de experimentar seus efeitos psicológicos, ou para evitar o mal-estar que a ausência da droga produz no organismo".

Se a palavra "tóxico" não deve ser empregada para designar as drogas que causam dependência, também a palavra "toxicomania" (mania de usar tóxicos) não deve ser relacionada com seus usuários. Aliás, é um erro grave taxar as pessoas dependentes de drogas de toxicômanos, viciados ou mesmo farmacodependentes, pois, ao taxá-las assim, desprezamos as "partes" saudáveis de suas personalidades e supervalorizamos as "partes" negativas. Valorizar aspectos positivos da personalidade de uma pessoa dependente de drogas é o primeiro passo para ajudá-la.

## 3. Dependência psíquica

Dependência psíquica, como vimos, é a relação estreita e dependente que um usuário tem com uma droga psicotrópica por conta da representação inconsciente e superdimensionada que a droga tem em sua memória.

Nem todas as drogas causam dependência física, mas todas são capazes de provocar, em diversos graus, a dependência psíquica.

Por pelo menos três tipos de motivação, ou de reforços psicológicos, as pessoas cedem às drogas. De extrema complexidade, procuraremos, no entanto, simplificar. A dependência é caracterizada por uma representação psicológica inconsciente da droga, que canaliza as energias psíquicas para um desejo forte e, às vezes, incontrolável de usá-la. Tentarei explicar simplificadamente os mecanismos que produzem a dependência psicológica.

*a) Reforço psicológico positivo:* busca-se experimentar drogas com o objetivo de obter prazer. Essa motivação geralmente é apoiada pela curiosidade pessoal dos jovens, pela influência de amigos ou mesmo de algum traficante, pela pressão do grupo etc. O reforço psicológico positivo é a colorida porta de entrada para a dependência psicológica.

*b) Reforço psicossocial:* trata-se do apelo aos efeitos psicológicos da droga para suportar problemas, tensões e dificuldades sociais e pessoais, ou como forma de fugir deles. Muitos usam o álcool etílico como facilitador das relações sociais. Esse tipo de motivação é sustentado pelos conflitos no relacionamento familiar, pelos transtornos psíquicos, pela rejeição social, pelas dificuldades financeiras etc. Todos nós passamos por problemas e dificuldades na vida, que muitas vezes são difíceis de suportar, mas nada justifica a utilização de drogas como tentativa de amenizar essas tensões. O uso de drogas nesses casos torna-se uma "muleta química", incompatível com o equilíbrio e a maturidade de vida.

*c) Reforço psicológico negativo:* nesse estágio, chegamos à dependência psicológica propriamente dita. Aqui, a pessoa que usa drogas não o fará apenas para buscar algum tipo de prazer ou para suportar seus problemas, mas para aliviar os efeitos psicológicos indesejáveis, decorrentes da abstenção. O indivíduo que, durante semanas ou meses, se habituou a drogas estimulantes, como a cocaína, o *crack*, a merla (subproduto da cocaína); aos moderadores de apetite: Hipofagin, Inibex; a fórmulas de moderadores de apetite que contêm substâncias como femproporex, anfrepramona etc.; a calmantes como Lorax, Tensil e outros; ou mesmo à nicotina dos cigarros; à maconha e outras mais, ao parar de usá-las, sentirá insônia, angústia, depressão, ansiedade e irritabilidade. O grau dos sintomas variará de acordo com a intensidade da dependência, do tipo de droga usada, da freqüência do uso e também do tipo de personalidade do dependente. De qualquer maneira, são esses efeitos psicológicos indesejáveis, detonados a partir do fenômeno do gatilho da memória, que caracterizam a dependência psicológica e levam o indivíduo a buscar, às vezes com grande desespero, novas doses para aliviar tais sofrimentos.

A cocaína não provoca dependência física, como muitos pensam, mas provoca a dependência psíquica, o que a torna uma droga mais sutil, pois seus usuários dificilmente reconhecem que estão dependentes, a não ser numa fase tardia. Quando o gatilho do desejo compulsivo é detonado, surge um estado de ansiedade, angústia e inquietação que os conduz a procurar uma nova dose da droga para tentar alívio.

Se compreendermos o que é essa dependência, também entenderemos porque tantos jovens aplicam drogas nas veias com seringas contaminadas, indiferentes ao perigo de contrair infecção fatal, e por que muitos deles são capazes de atitudes extremadas para obter uma nova dose da droga.

O *crack* (cocaína misturada com bicarbonato de sódio) e a merla (pasta base da cocaína) são fumadas. Dessa forma, a cocaína atinge o cérebro mais rapidamente, gerando uma grave dependência psíquica, bem como sérios riscos de produzir uma parada cardiorrespiratória por overdose.

## 4. Dependência física

Dependência física é a capacidade que uma droga tem de passar a fazer parte do metabolismo, da "vida" do organismo, a tal ponto que, na sua falta, o organismo produz reações intensas, reações de sofrimento, a chamada síndrome de retirada ou de abstinência. Essa síndrome pode produzir desde sinais e sintomas leves até morte.

A maioria das drogas causa pouca dependência física, mas o álcool etílico, os barbitúricos (Gardenal, Nembutal etc.) e os derivados do ópio (heroína, morfina, codeína etc.) produzem alta dependência. Em alcoólatras crônicos, por exemplo, a falta de álcool provoca tremores nas mãos, ansiedade, alterações cardiovasculares; nos estágios mais avançados, alucinações, ilusões auditivas, visuais ou táteis, febre e colapso cardiovasculatório, por vezes, irreversível.

Os sintomas da privação de barbitúricos são semelhantes aos do álcool, com a agravante de provocar sucessivas crises convulsivas, levando o indivíduo a um grave esgotamento físico que pode ser até fatal. E sem morfina, heroína e outros derivados do ópio, seus cativos são atormentados por sudorese (excesso de suor), insônia, ansiedade, vômitos, diarréia, dores generalizadas, febre e alterações cardiovasculares.

Lembro-me de uma jovem chamada N. J., que esteve sob meus cuidados num hospital em Paris. Ela era dependente de heroína. Em alguns períodos do dia, ela costumava dar-me algumas aulas de francês; em outros, eu tentava ajudá-la a compreender os bastidores de sua mente.

N. era uma jovem inteligente, bonita e dócil, mas sofria intensamente com sua dependência física e psíquica. O que mais me chamava a atenção eram os sintomas da dependência dessa droga, eram as dores generalizadas que ela e outros sentiam após o primeiro dia de interrupção do uso. Eles choravam, angustiavam-se, vomitavam e tinham crises de dores intensas. Essas dores funcionavam como um estímulo desesperador para que usassem uma nova dose da droga para sentir alívio.

N. me dizia com ar angustiante que, se não parasse de usar a droga, ela poria um fim à sua vida, tamanha era a angústia que sentia para conseguir todos os dias uma nova dose para não reproduzir os sintomas de abstinência. Eu procurava abrir as janelas de sua mente e mostrar que ela podia realmente se libertar do cárcere da dependência.

Por causa da síndrome de abstinência, muitos usuários roubavam ou vendiam o próprio corpo na capital francesa para conseguir cerca de cem dólares por dia para comprar heroína. São seres humanos como qualquer um de nós, mas travam diariamente uma luta infernal, inumana, para sobreviver, uma luta com a qual jamais sonharam um dia travar.

Se os iniciantes pudessem ver o futuro, não haveria necessidade de policiamento nem de contenção do tráfico.

O usuário de cocaína tem tendência a ser mais auto-suficiente e mais difícil de ser ajudado do que o usuário de heroína, embora a heroína gere uma dependência mais grave, tanto física como psíquica. O grande problema, como salientei, é que o usuário de cocaína dificilmente reconhece sua dependência nos primeiros meses e anos de uso, pois tem sempre a falsa impressão de que irá parar de usar a droga quando quiser. Mal sabe que possui um "monstro virtual" nas entranhas do seu inconsciente, que costuma acordar nos fins-de-semana ou após um ou mais dias de uso.

Quem usa heroína, por possuir graves sintomas físicos com a abstenção da droga, reconhece com humildade que está doente logo nos primeiros meses e, por isso, procura ajuda com mais facilidade, muitas vezes sem qualquer pressão social ou familiar.

## 5. Tolerância à droga

É a necessidade de o indivíduo usar doses cada vez maiores da droga para obter os mesmos efeitos que sentia no início. Existem três tipos de tolerância: a comportamental, a farmacodinâmica e a farmacocinética.

A tolerância comportamental é uma adaptação aos efeitos psicológicos da droga; a farmacodinâmica é uma adaptação no lugar específico do cérebro onde as drogas atuam, de forma que a resposta se torna reduzida; e a farmacocinética consiste na destruição mais rápida da droga no sangue, principalmente por causa da ativação de enzimas no fígado.

Os três tipos de tolerância cooperam juntos para que as drogas diminuam seus efeitos, e por isso mesmo os usuários recorrem a doses cada vez mais elevadas, às vezes até letais, como é o caso da cocaína, que, em doses altas, mata por parada respiratória. Todas as drogas, em maior ou menor grau, sofrem certa tolerância no organismo humano.

# Causas psíquicas, sociais e genéticas

Como alguém se
torna dependente
de drogas?

## 1. Causas psíquicas e sociais do uso de drogas

Neste capítulo estudaremos as principais causas psíquicas e sociais do uso de drogas. Também farei um comentário sobre a influência genética.

Descreverei as causas didaticamente, usando os dados de uma pesquisa que realizei com cerca de 510 universitários, dos quais 244[4] responderam que usaram ou ainda estão usando algum tipo de droga psicotrópica, mesmo que seja medicamentosa e prescrita por médicos.

Pedimos aos entrevistados que não se identificassem para que tivessem liberdade em suas respostas.

O resultado da pesquisa é mostrado no gráfico a seguir e analisado neste capítulo.

---

[4] Esse número corresponde a 47,8% do total da amostra.

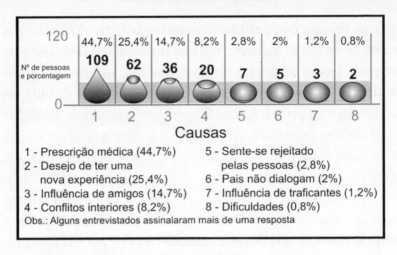

1 - Prescrição médica (44,7%)
2 - Desejo de ter uma
    nova experiência (25,4%)
3 - Influência de amigos (14,7%)
4 - Conflitos interiores (8,2%)
5 - Sente-se rejeitado
    pelas pessoas (2,8%)
6 - Pais não dialogam (2%)
7 - Influência de traficantes (1,2%)
8 - Dificuldades (0,8%)
Obs.: Alguns entrevistados assinalaram mais de uma resposta

Diante desses dados, fizemos a seguinte pergunta, individualmente, ao grupo de usuários:

*Qual a causa ou as causas que o levaram a usar drogas?*

— As prescrições médicas e as farmácias (sem prescrição médica).

De acordo com os dados, a causa mais freqüente que levou os universitários a usar alguma droga psicotrópica foi a prescrição médica, ou receitas médicas. É claro que muitas dessas drogas fizeram parte de um tratamento médico a que o entrevistado estava sendo submetido, apesar de haver notícias de que médicos vendem receitas psicotrópicas a pessoas viciadas, o que é crime.

A maioria das drogas psicotrópicas receitadas pelos médicos é moderador de apetite, inibidora do sono, indutora do sono, ansiolítica ou calmante, xarope para tosse, relaxante muscular de ação central etc.

A indústria dos psicotrópicos será a indústria farmacêutica mais poderosa do século XXI. Em um mundo em que reina a competição predatória, o individualismo e a paranóia de ser o "número um", os transtornos ansiosos e os estresses batem às portas de qualquer um, mesmo dos mais saudáveis. No caos em que se encontra a qualidade de vida, os medicamentos psicotrópicos surgem como o grande aliviador das misérias psíquicas, embora não atuem nas causas nem conduzam o ser humano a administrar seus pensamentos e a gerenciar suas emoções.

Os medicamentos psicotrópicos deveriam ser atores coadjuvantes do processo terapêutico. O ator principal é o próprio homem, que deveria aprender a proteger sua emoção, lidar com suas intempéries e repensar suas atitudes diante da vida.

Nunca os médicos receitaram tantos psicotrópicos como na atualidade. Infelizmente, muitos não orientam seus pacientes sobre o risco da dependência, nem sobre a necessidade de suspender a medicação após determinado tempo e a melhor maneira de fazer essa suspensão. Tal atitude causa a dependência, uma iatrogenia médica, um erro médico.

A dependência de certos medicamentos, como os calmantes, raramente causa transtornos importantes como as drogas ilícitas, isso se forem tomados nas doses prescritas pelos médicos. Os antidepressivos dificilmente causam dependência importante, por isso sua retirada é tranqüila, desde que seja feita paulatinamente.

A dependência dos moderadores de apetite é bem mais grave. Em razão da paranóia da estética divulgada nos meios de comunicação, as mulheres são massificadas com o padrão do belo, do corpo atraente. As jovens magérrimas das passarelas, que muitas vezes são infelizes, deprimidas e escravas da própria estética, tornam-se modelo para milhões de mulheres que, em tese, poderiam ser mais felizes e mais livres que elas. A beleza deveria estar nos olhos de quem as vê e não nas curvas do corpo.

Como não conseguem ter o padrão estético desejado, elas se deprimem e se angustiam muito. Não poucas jovens desenvolvem graves transtornos psíquicos, como a bulimia, que tem entre os sintomas o comer compulsivo associado a vômitos, ou a anorexia nervosa, que gera uma ruptura drástica do instinto da fome, conduzindo algumas a morrer de inanição.

Muitas mulheres têm uma necessidade doentia e compulsiva de emagrecer. Preocupam-se mais com a embalagem do corpo do que com o território da emoção, do que em ser felizes, soltas, dinâmicas, realizadas. O mundo delas é do tamanho do seu corpo. Por isso, tomam tudo e fazem tudo para alcançar o padrão estético massificado imposto pela sociedade. Muitas tomam moderadores de apetite, indiscriminadamente, ignorando que suas fórmulas contêm estimulantes potentes, tais como o femproporex e a anfepramona. Se não forem usadas sob rigoroso controle médico, essas drogas causam dependência do tipo da cocaína e, em alguns casos, transtornos cardiocirculatórios. Conheci pessoas que morreram pelo uso abusivo desses medicamentos.

Devemos considerar a dependência de medicamentos como um problema sério. Uma vez dependente, a pessoa começa a pressionar o médico para receitá-los, relatando sintomas que são da síndrome de abstinência e não da sua própria doença. Outros procuram tais medicamentos nas farmácias, sem prescrição médica. Embora haja muitas farmácias sérias, há sempre algumas que burlam a lei.

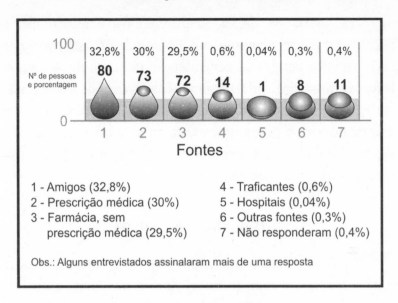

| Nº de pessoas e porcentagem | 32,8% | 30% | 29,5% | 0,6% | 0,04% | 0,3% | 0,4% |
| | 80 | 73 | 72 | 14 | 1 | 8 | 11 |

Fontes

1 - Amigos (32,8%)
2 - Prescrição médica (30%)
3 - Farmácia, sem
   prescrição médica (29,5%)

4 - Traficantes (0,6%)
5 - Hospitais (0,04%)
6 - Outras fontes (0,3%)
7 - Não responderam (0,4%)

Obs.: Alguns entrevistados assinalaram mais de uma resposta

Outra pergunta feita aos universitários:

*Na sua experiência, qual a fonte mais fácil para você adquirir droga psicotrópica?*

Se compararmos este último quadro com o anterior, poderemos observar que, dos 109 universitários que apontaram as receitas médicas como causa do uso de drogas, apenas 73 continuaram assinalando a prescrição médica como fonte onde obtêm a droga. Isso indica que os restantes conseguem a droga sem a intermediação do médico, o que justificaria o número significativo de entrevistados que conseguem a droga nas farmácias, sem prescrição médica. Isso é um forte indício de que muitos começaram a usar drogas psicotrópicas para tratamento médico e, depois, como dependentes, continuaram a usá-las fora de controle e supervisão médica, adquirindo-as nas farmácias, mesmo sem receita do médico.

Um paciente de 50 anos de idade, advogado, dependente de calmantes (Pscicopax, Lorax) há mais de seis anos, procurou-me para libertar-se desses medicamentos. Segundo ele, o médico que lhe receitou tais calmantes pela primeira vez, não o advertiu dos perigos da dependência. Por isso, ele os tomava de forma indiscriminada. Quando tentou parar de usá-los, não conseguiu, pois sentia mal-estar, tremores, ansiedade etc. Tal caso demonstra o perigo que existe na falta de orientação e a responsabilidade que nós, médicos, temos quando receitamos um psicotrópico ao paciente.

## 2. Influência de amigos

Uma árvore, quando gera seus pequenos frutos, sabe como protegê-los, envolvendo-os numa flor ou invólucro; à medida que cresce, o fruto vai tornando-se mais exposto ao ambiente externo e, portanto, sujeito a sofrer as perturbações desse meio. Do mesmo modo, quando os pais geram seus pequenos filhos, protegem-nos e vivem ao redor deles; mas à medida que eles crescem, começam a ficar mais expostos à sociedade, às suas perturbações e influências. Freqüentemente, os adolescentes e os adultos jovens são mais susceptíveis a essas influências.

O homem é um ser social. Ninguém fica plenamente ilhado em seu próprio mundo. Os grupos sociais penetram sob diversas formas no palco de nossas vidas.

Nos grupos de trabalho, o que une os membros é a execução das tarefas. Entre eles existe uma relação mais fria, distante. Fora do ambiente de trabalho, eles têm poucas raízes. Quando os membros de um grupo de trabalho se desentendem ou se agridem, em geral, ocorre uma separação drástica, às vezes, definitiva. No grupo familiar, graças aos laços afetivos inconscientes, as relações normalmente se reatam, embora, em alguns casos, isso leve anos para acontecer.

Nos grupos de lazer, o que sustenta o relacionamento é a busca conjunta de prazer e de relaxamento. Nos adultos, esses grupos não têm muita estabilidade e consistência, porque os laços entre eles não costumam ir além da "sala de visitas", ou seja, não atingem áreas mais íntimas de suas vidas. Tão logo dois elementos do grupo entrem em atrito, ocorre o rompimento do relacionamento. Quando se reúnem no clube, numa festa, à beira de uma piscina ou num restaurante, raramente compartilham seus conflitos e dificuldades.

No caso dos jovens acontece o contrário. Eles são bem mais fiéis às amizades e, por isso, suas relações são mais estáveis. Mesmo quando brigam, voltam a se unir. No caso dos adolescentes, as suas próprias brincadeiras costumam ser agressivas. Eles invadem e tocam fisicamente a vida dos seus colegas com facilidade. São mais dados a confidências que os adultos e, geralmente, compartilham os problemas e atritos que têm com os pais, as aventuras e dificuldades escolares, sexuais etc. Por tudo isso, os jovens recebem uma influência marcante uns dos outros. Ser diferente do grupo significa ser rejeitado, "estar por fora", não ser alguém realizado nessa fase da vida.

Não é de admirar que esses jovens, por serem fiéis e confidentes uns aos outros, sejam influenciados pelos amigos que usam drogas. Além disso, porque muitos pais não penetraram no mundo dos seus filhos e não conseguiram ser amigos deles, facilmente eles quebram os padrões de comportamento aprendidos em casa, achando que podem viver sozinhos, que já sabem se cuidar, que os pais estão atrasados no tempo.

Se os jovens não aprenderem a arte de pensar, não desenvolverem uma consciência crítica, não tiverem metas e sonhos, poderão ser facilmente influenciados pelos amigos que usam droga, os quais estão pulverizados em todos os cantos da sociedade. Há mais pontos de drogas nas cidades do que farmácias e butiques. Notem que 14,7% dos universitários que usaram algum tipo de droga disseram que o fizeram por influência de amigos; e esse número deve ser ainda maior à medida que essa porcentagem representa apenas aqueles que perceberam essa influência, enquanto muitos outros não chegaram a ter consciência dela.

O mundo das drogas tem um apelo fantástico, mas falso: o prazer e a liberdade. Todos procuram o prazer e a liberdade em tudo o que fazem; os jovens mais ainda. Neles pulsa o sonho de ser livres e felizes, portanto, eles se tornam consumidores ávidos de tudo o que é capaz de ir ao encontro desse sonho. O mundo das drogas encontra neles o consumidor ideal. Nunca um sonho se tornou um pesadelo tão intenso. Nunca a busca do prazer e da liberdade produziu homens tão infelizes e prisioneiros.

## 3. Curiosidade ou desejo de uma nova experiência

Essa também é uma causa importante que leva os jovens a iniciar o uso de drogas, pois 25,4% dos entrevistados justificaram sua primeira experiência como mera curiosidade.

O que é a curiosidade? É o desejo de experimentar, conhecer ou desvendar algo novo, oculto, desconhecido. Busca-se por meio da curiosidade a aventura do prazer. A curiosidade brota no cerne da alma de todo ser humano. Os cientistas, por exemplo, são curiosos incuráveis.

Se temos informações sérias do risco de uma experiência, deveríamos ser governados pela lógica e jamais realizá-la. Alguns cientistas podem ter enorme curiosidade de realizar determinadas experiências genéticas com humanos, mas não as realizam pelo risco de prejudicar de alguma forma a humanidade. Se os jovens têm informações seguras do cárcere a que as drogas podem submetê-los, não deveriam dar vazão à sua curiosidade pelo risco que correm.

Uma vez adultos, somos responsáveis pelo nosso destino. Deveríamos aprender a pensar antes de reagir, aprender a pensar nas conseqüências de nossos comportamentos.

É preciso discursar de maneira nova e profunda sobre as drogas para que os jovens tenham um conceito adequado das suas conseqüências. O foco principal desse discurso não deveria ter a tônica da frase "Diga não às drogas". Isso é um desrespeito à inteligência dos jovens. Uma simples frase jamais conterá a emoção borbulhante deles por novas experiências. Proibir simplesmente as drogas, sem alimentar a inteligência com informações convincentes, estimula a curiosidade.

O discurso dos prejuízos físicos e morais das drogas é insuficiente para dar subsídios a eles para tomarem decisões seguras contra elas. É preciso ir além, ter um discurso atraente, inteligente, capaz de causar um impacto no palco de suas mentes. É preciso discursar sobre o cárcere da emoção. É necessário falar sobre as conseqüências filosóficas, psicológicas e sociológicas das drogas.

Entre as conseqüências filosóficas, está a contração da capacidade de contemplação do belo, o envelhecimento emocional, a perda da sabedoria existencial. Entre as psicológicas, está a produção inconsciente da imagem superdimensionada da droga, a prisão interior, a perda de liberdade. Entre as sociológicas, está a perda da liderança, do dinamismo e da motivação.

A curiosidade não é um impulso motivacional constante: aparece e desaparece de acordo com o ambiente e as circunstâncias. Cumpre ao eu direcionar a energia da curiosidade para experiências que enriqueçam o espírito humano, a inteligência e a capacidade de empreender novos projetos.

A dependência de drogas deixa os jovens à margem das sociedades, afasta-os do processo de transformação do mundo. Todavia, se canalizassem suas energias para romper os paradigmas e as avenidas doentias das sociedades, certamente suas vidas seriam coroadas de brilho.

Os usuários de drogas são os maiores contestadores e críticos do mundo, mas, paradoxalmente, são os que menos fazem algo para melhorar o mundo. Tornam-se aquilo que mais odeiam: vítimas do mundo que contestam. Quem sabe ao ler essas palavras, ganharão forças não apenas para romper o cárcere da dependência, mas também para serem agentes modificadores da sociedade.

Gosto de conversar com eles. Sei que embora aprisionados, muitos deles têm uma força incrível que, se liberada, pode causar uma verdadeira revolução dentro de si e no meio que os circunda.

## 4. Conflitos interiores

Essa foi a quarta causa apontada pelos universitários que já experimentaram drogas. Os conflitos interiores e, até certo ponto, a curiosidade e a influência dos amigos, estão relacionados com o deficiente processo de formação da personalidade dos jovens no ambiente familiar moderno.

Os conflitos interiores de um jovem são muitos e podem ser traduzidos por problemas sexuais, depressões, fobias, dificuldades no relacionamento social, insegurança, instabilidade emocional etc.

Muitos jovens têm sido vítimas de alguma depressão não diagnosticada. Por estarem deprimidos, alguns buscam no efeito das drogas, incluindo o álcool, uma reação antidepressiva. Outros, por serem tímidos, buscam a substância psicotrópica como facilitador das relações sociais. Outros, por conta de conflitos com os pais, procuram nas drogas um mecanismo de contestação e fuga. Enfim, os conflitos psíquicos podem abrir as comportas da psique, tornando-os mais vulneráveis, ou seja, menos resistentes ao uso de drogas.

Os sofrimentos humanos, quando bem trabalhados, tornam-se uma ferramenta que lapida a alma e estimula a sabedoria. Infelizmente, o uso de drogas reprime a ação e a consciência do "eu", resultando no definhamento da capacidade e da habilidade de uma pessoa para trabalhar as experiências dolorosas. Não há pior remédio para a dor do que escondê-la, maquiá-la, anestesiá-la por meio do efeito psicotrópico das drogas.

## 5. O sentimento de rejeição

Lembro-me de uma clínica psiquiátrica que conheci na Alemanha, nos arredores de Stuttgart. Na ocasião, enquanto o diretor clínico mostrava-me o funcionamento da instituição, passamos por um grupo de pacientes farmacodependentes. Um deles comentou com os outros: "Estão nos visitando como se fôssemos animais num zoológico". Isso demonstra o quanto alguns usuários de drogas se sentem rejeitados. É preciso ajudá-los, conduzi-los a perceber que são seres humanos, independentemente de usarem ou não as drogas.

A discriminação racial, cultural ou de qualquer espécie é um câncer da sociedade. A dor que ela provoca é indescritível. Os que se sentem discriminados podem ter uma motivação a mais para recorrer aos efeitos das drogas como fator de compensação psíquica.

Sete universitários responderam que experimentaram drogas pela primeira vez, porque se sentiam rejeitados pelas pessoas. Isso, sem dúvida, também está associado aos problemas do ambiente familiar. Se um jovem está se sentindo rejeitado, não aceito ou não acolhido pelos membros da própria família, com os quais tem convivido por tantos anos, certamente também irá sentir-se rejeitado pelas pessoas no ambiente social, pois, nesse meio, os laços que unem as pessoas são mais frágeis e temporários.

Apesar de às vezes não nos darmos conta, várias pessoas que nos rodeiam se sentem rejeitadas, inferiorizadas, por isso vivem sempre exigindo uma atenção especial. Tão logo alguém faça algum gesto que as desagrade — até uma simples expressão facial, por exemplo —, já se sentem ofendidas. Se fossem mais seguras não se importariam tanto com as palavras e o comportamento dos outros em relação à sua pessoa.

Apesar de o sentimento de rejeição ser comum, há pessoas com sensibilidade maior, sofrendo muito mais diante de uma situação de rejeição. E, dentre essas, existem aquelas que se sentem tão excluídas, tão rejeitadas no seu ambiente social e familiar, que todos os comportamentos adversos ao seu redor tornam-se uma ofensa para elas. Fica difícil estabelecer um relacionamento com esse tipo de pessoa, por causa da sua hipersensibilidade emocional. Se não revisarem essa característica de personalidade, poderão desenvolver a depressão em alguma etapa da vida.

Não é difícil concluir que alguns jovens, que são hipersensíveis e se sentem discriminados socialmente, tentarão encontrar nas drogas um meio para superar a solidão. Como as drogas não rejeitam ninguém, e estão sempre disponíveis, essas pessoas com facilidade iniciam a dramática escalada rumo à dependência. Todos já ouvimos falar daquelas pessoas que, quando começam a beber bebidas alcoólicas, não param mais, embriagando-se compulsivamente.

É uma afronta à inteligência discriminar um ser humano pela cor da pele, condição social, financeira e cultural. Todos temos a dignidade de seres humanos. Ninguém deveria se sentir inferior a qualquer tipo de pessoa. Resgatar a auto-estima e o valor real da vida pode nos vacinar não apenas contra o uso de drogas, mas também contra uma série de transtornos psíquicos.

## 6. Pais que não dialogam

Essa causa apareceu em sexto lugar. Apenas cinco apontaram este item: a falta de diálogo com os pais. Mas será que isso está correto? Será que a maioria deles tinha consciência, ao responder a pergunta, da importância desse diálogo, de como a falta de comunicação aberta e constante com os pais pode ter contribuído para a sua experiência com drogas? — Creio que não.

O diálogo torna as relações humanas um jardim. Porém, dialogar não quer dizer exatamente conversar. Nas sociedades modernas o ser humano vive ilhado dentro de si mesmo. A solidão é silenciosa. Não sabemos falar de nós mesmos, dos nossos sonhos, dos nossos projetos mais íntimos. Não sabemos discorrer sobre nossas fragilidades, inseguranças e experiências mais silenciosas.

Estamos vivendo ilhados na sociedade. Nunca estivemos tão próximos fisicamente, mas tão distantes interiormente. Nunca falamos tanto de coisas que estão fora de nós e nos silenciamos tanto sobre as nossas experiências mais íntimas. Os jovens, os velhos, os iletrados, os intelectuais, têm vivido represados no território da emoção. A crise do diálogo na atualidade é tão grande que, infelizmente, as pessoas só têm coragem de falar sobre si mesmas quando estão diante de um psiquiatra ou de um psicoterapeuta.

Por que milhões de pessoas usam drogas? As causas, como temos visto, são muitas. Mas temos de saber que dentre elas está a solidão e a crise das relações sociais.

## 7. A influência de traficantes

Ao contrário do que muita gente pensa e do que os meios de comunicação divulgam, é infreqüente que um jovem inicie o uso de drogas por influência de traficantes. De acordo com a pesquisa, a influência de traficantes ocupa o sétimo lugar entre as causas que o levaram a experimentar drogas psicotrópicas, correspondendo à resposta de apenas três entrevistados.

Os traficantes a que nos referimos são aqueles que vivem exclusivamente do tráfico de drogas. Esses, muito raramente induzem os jovens, pois, para tanto, é preciso conquistar a confiança das futuras vítimas, cultivar sua amizade e fazer com que passem a admirá-los. Isso leva tempo, pois é preciso muita habilidade para se sustentar a farsa de ser amigo daquele a quem se pretende introduzir nas drogas.

Na realidade, a grande maioria dos jovens acaba sendo influenciada pelos próprios amigos. Eles sempre compram uma quantidade a mais de maconha, cocaína, comprimidos ("pedras") etc., suficiente para várias doses. Como se sentem à margem da sociedade, estão sempre atraindo novos membros para o seu grupo social. Por isso, oferecem aos iniciantes. Esses, num ímpeto de curiosidade e liberdade, iniciam a primeira experiência.

Quando uma pessoa ou um grupo pratica algo que aprecia, tende a divulgar e envolver outras pessoas nessa prática. Se isso é verdade em relação aos adultos, muito mais em relação aos adolescentes, pois, como já foi dito, estes são muito mais coesos nos seus relacionamentos.

## 8. Dificuldades financeiras

Dois universitários responderam que experimentaram drogas por causa de dificuldades financeiras. Apesar de ser uma causa rara entre universitários, é comum nas classes mais pobres. As drogas são utilizadas para aliviar a insegurança, a aflição e os sofrimentos causados pela falta de recursos financeiros mínimos para uma sobrevivência humana digna.

É claro que as drogas não podem e não têm capacidade para produzir alívio psicológico sadio nessas pessoas; pelo contrário, os problemas aumentarão, pois, quando se tornarem dependentes, terão de conseguir muito dinheiro, e dinheiro que não possuem, para financiar a sua dependência.

Se não o conseguirem mediante trabalho honesto, partirão para meios ilícitos, para a delinqüência, roubos, ou se transformarão em pequenos traficantes. Já tive pacientes que passaram por essa situação.

## 9. Genética

No campo da neurologia, a carga genética pode provocar alterações metabólicas e deficiências no córtex cerebral, gerando doenças graves, tal como o mongolismo. Na psiquiatria, a carga genética não condena ninguém. Ela não é capaz, por si mesma, de produzir as doenças psíquicas, tais como a depressão, a ansiedade, a psicose, o alcoolismo ou outra dependência química. No máximo, ela pode influenciar o aparecimento dessas doenças.

Alguns tipos de depressão e transtornos psíquicos podem ter uma influência genética. Entretanto, mesmo dois gêmeos idênticos, portanto com mesma carga genética, podem ter personalidades totalmente distintas, ainda que sejam filhos de pais depressivos. Um pode ter crises depressivas e o outro pode ser alegre, estável e extrovertido. Por que essa discrepância? Porque as variáveis que produzem a formação da personalidade são multifocais e combinam-se de múltiplas maneiras.

A carga genética não define as estruturas mais importantes da inteligência, ou seja, a arte de pensar, a capacidade de uma pessoa trabalhar suas perdas, a habilidade de filtrar os estímulos estressantes, de dialogar sobre seus conflitos, de ter prazer nos eventos da vida, de socializar-se e de construir relações saudáveis. O equipamento genético produz, no máximo, os níveis de sensibilidade emocional e o ritmo do fluxo de energia cerebral em que serão construídas as estruturas da inteligência. Essas são produzidas por diversos fenômenos psíquicos e não físicos. Estudei esse assunto ao longo de dezessete anos e publiquei no livro *Inteligência Multifocal*.

A carga genética pode permitir a uma pessoa ser mais ou menos sensível aos estímulos do meio ambiente e aos próprios estímulos internos, tais como os seus pensamentos. Notem que as crianças, ao nascer e ao longo dos primeiros meses de vida, já possuem algumas características próprias. Algumas são hiperativas e outras bem calmas; algumas são menos reagentes à dor e outras, ao mínimo desconforto, choram; algumas dormem tranqüilamente e outras, simplesmente, não dormem. Essas características têm propensão genética, embora elas também sejam influenciadas por numerosos fatores ocorridos no desenvolvimento fetal.

Faltam estudos na Ciência, mas a influência genética deve estar ligada aos neurotransmissores cerebrais, que são como funcionários dos "correios" do cérebro, que transmitem as mensagens de uma célula nervosa para outra.

Em alguns casos é possível que haja uma propensão genética para o alcoolismo, mas dificilmente para outras drogas.

Alguns pais alcoólatras podem gerar filhos mais introvertidos e sensíveis aos efeitos do álcool, mas nem de longe isso quer dizer que serão doentes como seus pais.

Tanto os pais gravemente depressivos como os pais alcoólatras podem gerar filhos seguros, livres e alegres, principalmente se o ambiente familiar e educacional estimulá-los a ter metas, sonhos, projetos de vida e a desenvolver a arte de pensar e a capacidade de superação de suas frustrações. Por outro lado, se o ambiente for hostil, agressivo e estressante, ele se associará à influência genética, podendo contribuir para que alguns filhos também desenvolvam a depressão e o alcoolismo.

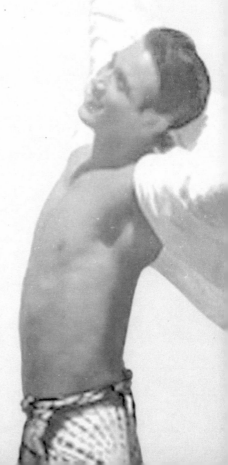

# A prevenção no ambiente familiar

O diálogo familiar é
a melhor prevenção
contra vários males

Ao tratar deste delicado tema, pretendo mostrar um caminho para os pais estimularem a arte de pensar dos seus filhos e vaciná-los contra o uso de drogas. Tudo o que for dito aqui, pode ser igualmente aplicado na relação professor/aluno.

Muitos pais têm grande dificuldade em dialogar com os filhos sobre temas polêmicos e conflitantes, mas, se não se esforçarem para vencer essa barreira, os jovens aprenderão esses assuntos com outras pessoas, em qualquer outro lugar: nas ruas, nas escolas, nos clubes etc. E, muitas vezes, esse aprendizado poderá ser distorcido e, até mesmo, doentio.

Temos medo de dialogar sobre assuntos dos quais não temos pleno controle. Temos dificuldades em lidar com nossa ansiedade e estimular o debate de idéias. Aprender a criar um clima inteligente, aberto e espontâneo sobre temas complexos e polêmicos estimula a sabedoria e expande as funções mais importantes da psique.

Os pais e os educadores deveriam aprender a navegar no território da emoção e a ser os primeiros a discutir com os jovens sobre temas ligados ao relacionamento humano, sexo, liberdade social, drogas. Infelizmente, isso é raro de acontecer e, quando acontece, faltam alguns ingredientes estimuladores da arte de pensar.

# 1. O primeiro ensinamento é o que mais impressiona a personalidade

A memória de uma criança é como uma folha em branco, pronta para ser escrita, embora aos sete anos de idade uma criança já tenha milhões de experiências arquivadas. Por isso, a primeira "impressão" registrada pelo fenômeno RAM, o primeiro ensinamento ou conceito que ela ouve e assimila sobre um determinado assunto é o que mais impressiona a personalidade e incorpora-se a ela.

Por exemplo, existem jovens e adultos, principalmente do sexo feminino, que têm verdadeiro pavor, pânico, de baratas ou de ratos. Isso porque essas pessoas, quando crianças, ouviram palavras e presenciaram comportamentos de suas mães ou de outros adultos que apontavam as baratas e os pequenos ratos como animais terríveis e ameaçadores. O que ficou na memória não é a dimensão real das baratas e dos ratos, mas o significado da dimensão, conforme mecanismos que já citei.

Se, ao contrário, essas crianças tivessem sido ensinadas pelos adultos que as baratas e os ratos são apenas e simplesmente animais anti-higiênicos, certamente, quando crescessem, não mostrariam pavor diante deles. Já tive diversos pacientes, inclusive duas educadoras, que não podiam entrar num ambiente onde houvesse uma lagartixa. O problema não era o pequeno réptil de fora, mas o "enorme" réptil registrado dentro delas.

A partir desses prosaicos exemplos, vale a pena refletir sobre como o aprendizado inicial, as primeiras experiências de vida nas crianças marcam demasiadamente suas personalidades adultas.

Podemos transportar esse mesmo princípio para as drogas. Aquilo que as crianças e adolescentes ouvirem e aprenderem a respeito irá construir um conceito, um significado ou representação psicológica das drogas em suas personalidades. Por isso é que os pais, em hipótese alguma, deveriam abrir mão da possibilidade de ser os primeiros a conversar sobre as drogas com seus filhos, transmitir-lhes seu conceito sobre elas. Para isso, eles precisam de informação e educação, que é o objetivo deste livro.

Depois que os jovens aprenderem o conceito social das drogas com os amigos usuários, cujo compromisso é apenas com o prazer momentâneo, será muito difícil reestruturá-los.

Do ponto de vista pessoal, acho que os pais devem dialogar com os filhos sobre as drogas quando eles têm entre sete e onze anos de idade, pois, a partir de então, é bem possível que já tenham aprendido nas ruas, nos cantos das escolas, nos clubes etc. Fundamentado na importância do aprendizado inicial é que advogo que os pais devem dialogar com seus filhos sobre as drogas, incluindo o cigarro de tabaco e o álcool, a partir dos sete anos de idade.

Os jovens de hoje, com mais de onze anos, sabem mais sobre drogas do que os pais e a maioria dos professores e, até mesmo, mais do que muitos médicos, visto que boa parcela da classe médica desconhece que diversos medicamentos psicotrópicos são drogas passíveis de provocar dependência. Mas os jovens sabem, porque já ouviram comentários relacionados ao assunto com outros colegas.

Se os pais e os educadores não fizerem um debate inteligente a respeito das drogas, as crianças e os jovens aprenderão sobre elas em outros terrenos da sociedade. Só que aprenderão sem consciência crítica, sem levar em consideração as conseqüências perigosas, podendo, portanto, ser estimulados por elas.

No mundo todo, milhões de jovens iniciam anualmente o uso de drogas. Eles entram pela porta colorida dos seus efeitos. Começam pelo cigarro de tabaco, passam por bebidas alcoólicas, usando-as em doses cada vez maiores, experimentam o lança-perfume e partem para o uso de maconha e cocaína. Antigamente, a maconha era a porta de entrada para a cocaína. Hoje, muitos jovens iniciam diretamente na cocaína. Não sabem que estão correndo o sério risco de perder o direito de ser livres.

## 2. Como dialogar a respeito das drogas

Apesar de não haver regras para um diálogo desse tipo, existem princípios.

Os pais não devem temer comentar com os jovens os possíveis prazeres momentâneos que as drogas causam, ou seja, seus efeitos psicológicos provocados pelo uso delas, inclusive o cigarro de tabaco.

Quando os filhos perguntarem sobre algum tipo de prazer ou efeito psicológico das drogas, os pais devem conversar a respeito, mas sempre ressaltando que nem tudo o que gera algum tipo de prazer é saudável; há coisas que, além de não serem saudáveis, podem ser extremamente destruidoras. Existem numerosos exemplos práticos: brincar com fogo, brincar com arma, dirigir carro em altíssima velocidade etc. Tais atos podem provocar prazer, mas os riscos são enormes e muitas pessoas se destroem com tais práticas.

Os pais devem ser criativos, espontâneos e autênticos ao dialogar com seus filhos sobre drogas, sexo, futuro etc. Não deveriam ser frios, inseguros e rígidos ao tratar de assuntos polêmicos. Nunca esquecer que, no caso das drogas, é fundamental comentar que elas podem provocar a pior prisão do mundo, podem conduzir pessoas inteligentes a ser prisioneiras e infelizes no território da emoção.

## 3. Promover reuniões com debate de idéias (RDI)

Os pais não precisam esperar que os filhos perguntem sobre as drogas para conversar com eles. Como já disse, os pais deveriam ser os primeiros professores dos jovens.

É recomendável que se façam reuniões exclusivas para falar sobre drogas, sexo, limites e responsabilidades sociais. Chamo essas reuniões de RDI (Reunião de Debate de Idéias ou de Diálogo). Tais reuniões podem ser realizadas a cada mês. Deve-se fazer tais reuniões ao acaso ou com data marcada? A experiência já confirmou que, se não forem marcadas previamente, tais reuniões dificilmente ocorrerão.

Um outro tipo de reunião deve ocorrer com mais freqüência, de preferência semanalmente. É a reunião em que se cultiva o diálogo entre os membros da família. Nessas reuniões os pais devem ouvir seus filhos, trocar experiências, reconhecer seus próprios erros e, se necessário, pedir desculpas a eles. Como é possível que pais reconheçam erros e peçam desculpas aos filhos? "Mas isso não está nos manuais de educação!", diriam alguns. Eu diria: "Não se preocupem com os manuais de educação, porque eles funcionam precariamente".

Pais que exigem dos seus filhos atitudes nobres diante da vida, devem sair do discurso e mostrar tais atitudes em sua própria história. Pais que querem estimular seus filhos a ser sábios, livres, capazes de interiorização, de pensar antes de reagir, e de enxergar o mundo não apenas com os próprios olhos, mas também com os olhos dos outros, não devem ter medo de reconhecer seus erros, dificuldades, limitações e, muito menos, de pedir desculpas aos filhos e demonstrar que é possível corrigir rotas em suas vidas.

Tal comportamento vale mais do que mil regras educacionais. Não é fácil educar filhos. É fácil educar os filhos dos outros, mas não os nossos. Não se fabrica a personalidade dos jovens, só é possível estimulá-la, e, se o fizermos com sabedoria, semearemos neles as funções mais importantes da inteligência.

## 4. Dialogar sem drama

Quando falarem sobre as drogas, ou sobre qualquer outro assunto polêmico, os pais não devem fazer drama. Penso que uma postura segura deve ser assumida, mostrando a seriedade do fato, porém num tom de voz natural, não agressivo nem impositivo.

Se as crianças vislumbrarem nos pais confiança, espontaneidade e serenidade, certamente elas abrirão as janelas de suas inteligências e incorporarão conceitos que irão imprimir no inconsciente uma representação saudável.

Se, por outro lado, as crianças ouvirem um discurso vazio, rígido, de mão única, carregado de idéias proibitivas sobre o uso das drogas, elas não se vacinarão contra o seu uso. Afirmo que a grande maioria dos jovens que usam drogas e são prisioneiros delas já ouviram, antes de iniciar o uso, seus pais e professores falando mal delas. Que educação é esta que não penetra nas entranhas do processo de formação da personalidade?

Tenho dado conferências para muitos educadores e treinado diversos psicólogos. Digo sistemática e enfaticamente a eles que precisamos rever as linhas mestras do processo educacional, ou continuaremos a gerar uma juventude doente, que pouco conhece a arte de pensar.

Nenhuma planta é saudável se não tem raízes profundas. Dar regras para os jovens e estabelecer limites rígidos de comportamento sem conduzi-los a velejar dentro de si mesmos é totalmente insuficiente para criar raízes no cerne da inteligência.

Quando os pais se reúnem prazerosamente com seus filhos e estimulam o debate de idéias, cria-se um ambiente adequado para discutir o tema drogas. Assim, os jovens não as usarão porque elas são proibidas, mas porque aprenderam a valorizar o espetáculo da vida.

## 5. Não comentar extensivamente

Não estender demais as explicações quando se reunirem com os filhos é outro princípio importante. Os pais devem ter um conhecimento geral sobre as drogas, mas não devem desvendar todas as informações que sabem. Caso contrário, a sala de casa se transformará numa fria e pouco interessante sala de aula. Não será um diálogo, mas um monólogo monótono e pouco atraente.

É muito importante que os pais aprendam a estimular a arte da pergunta. Perguntem mais aos filhos do que respondam. Estimule-os a encontrar as suas próprias respostas. É mais seguro e inteligente que tenham as próprias respostas. A arte da pergunta estimula a arte da dúvida, ou seja, leva a pessoa a duvidar dos seus conceitos e abrir-se para outras possibilidades. Por sua vez, a arte da dúvida estimula a arte de pensar.

Se a Educação descobrisse o valor e a necessidade de mesclar a arte da pergunta com a arte da dúvida e da crítica, certamente a arte de pensar passaria por uma revolução. Sem o desenvolvimento dessas três artes, não desenvolvemos multifocalmente a inteligência.

Os pais devem certificar-se de que os filhos absorveram os ensinamentos, estimulando-os não apenas a pensar, como também a expressar seus pensamentos. Tal procedimento estimulará a segurança, a habilidade intelectual e a auto-estima dos jovens, podendo até corrigir uma característica de personalidade angustiante que tem acometido muitos jovens: a timidez.

Os tímidos falam pouco, mas pensam muito. Para ter uma emoção saudável, protegida e uma inteligência empreendedora, eles precisam aprender a expressar seus pensamentos. As RDIs (Reuniões de Debate de Idéias) podem ajudá-los muito.

Não se deve preestabelecer tempo para as RDIs, mas de modo geral não devem ser longas. Elas têm sempre de terminar com o sabor desta frase "Que pena que terminou!" e não "Que bom que acabou!". Talvez meia hora ou uma hora seja o suficiente. Não necessariamente os pais devem iniciar os debates, os filhos também devem iniciá-los.

O assunto a ser discutido pode não ser drogas, mas conflitos, dificuldades ou temas de interesse dos membros participantes, até temas profissionais e financeiros. As RDIs podem estimular o amor mútuo e o trabalho em equipe.

Uma última recomendação: os pais devem aprender a cultivar, entre seus filhos, o prazer do diálogo conjunto. Se perguntarmos aos pais se apreciam conversar com seus filhos, a grande maioria dirá que sim sem titubear. Todavia, suas atitudes mostram que não. Eles têm tempo para escovar os dentes, mas não para higienizar as relações entre eles; têm tempo para consertar o vazamento de água da torneira, mas não para reparar o vazamento de credibilidade e de respeito entre eles; têm tempo para levar o carro ao mecânico, mas não têm coragem de assumir suas dificuldades e reparar a crise do diálogo.

Pais e filhos são capazes de ouvir, horas a fio, os personagens da TV, mas não conseguem ouvir com prazer, por alguns minutos, o que está acontecendo no interior uns dos outros.

# Revendo a relação entre pais e filhos

Princípios fundamentais
para ajudar os
jovens a romper o
cárcere da emoção

Como conversar com os filhos que estão usando drogas ou com quem se suspeita de estar usando? É possível começar um diálogo com esses jovens e ocupar um lugar mais importante no cerne do seu ser? Isto é uma tarefa difícil, mas possível.

Para tentar auxiliar pais, educadores e profissionais de saúde, vou expor de maneira didática alguns princípios fundamentais, que não devem ser seguidos como regra, mas adaptados às experiências de vida de cada um. Gostaria de dizer que esses princípios podem ser aplicados não apenas às famílias que têm filhos que usam drogas, mas a todas as famílias que querem melhorar a sua qualidade de vida, ajudar seus filhos e sanar as suas estruturas doentias.

## 1. Não mergulhar no sentimento de culpa

Muitos jovens que usam drogas não têm problemas familiares maiores que a grande parcela de outros que nunca chegam a usá-las. Muitas vezes, o uso de drogas é mera questão de oportunidade, apresentada por ambientes e circunstâncias propícias. Em outras palavras, se um jovem está usando drogas, os pais não devem pensar que sua família é problemática e que eles fracassaram na educação dos filhos.

Muitos psicólogos erram ao colocar excessiva carga de culpa sobre os pais pelos conflitos dos seus filhos. Os pais precisam de coragem e não de culpa. Precisam ter esperança para transmitir esperança e apoio aos seus filhos.

As sociedades modernas são muito estressantes. Trabalhamos muito, investimos nossas energias para sobreviver, pagar a escola dos filhos, manter o carro, fazer um plano de saúde e de previdência. Chegamos em casa e não temos nem disposição para conversar. Ligamos a TV, mas não prestamos atenção nas cenas, queremos relaxar. Pegamos o jornal e vamos aos fatos de sempre. Nada muda. Mas os textos do jornal são terapêuticos, relaxantes. Infelizmente, não gastamos tempo com as pessoas mais importantes, como nossos filhos e nosso cônjuge.

Ao investigar os problemas de nossos filhos, descobrimos que erramos. Mas o que devemos fazer com nossos erros? Usá-los para nos destruir, nos culpar, nos punir? — Não! Devemos usá-los como adubo para novas mudanças. Devemos também ter consciência de que o fenômeno é mundial. Há milhões de jovens usando drogas. Na maioria das vezes, usam drogas não porque são mais problemáticos do que quem não está usando, mas porque tiveram mais oportunidades.

O perfil psicológico dos usuários mudou. No passado, em sua grande maioria, os usuários eram jovens portadores de graves conflitos e filhos de pais doentios. Gostaria de afirmar que, na atualidade, os jovens portadores de pequenos conflitos, que não se diferem da média da população, e que são filhos de excelentes pais, estão consumindo drogas e ficando dependentes.

Uma pessoa não precisa ser doente para se tornar um dependente, o efeito das drogas é suficiente para deixar qualquer pessoa doente.

## 2. Manter a calma — eliminar a agressividade

Ao descobrir que seus filhos estão usando drogas, a melhor coisa a fazer seria não fazer nada precipitado, parar para pensar e evitar reagir antes de pensar. A grande maioria dos pais não sabe conquistar seus filhos nas dificuldades. O medo, a apreensão e a ansiedade que os invadem bloqueiam as suas inteligências. Com suas reações impulsivas, acabam atrapalhando mais do que ajudando.

Irritação, agressividade, punição aos filhos e autopunição não resolvem; ao contrário, prejudicam. Claro que, na fase inicial, colocar limites e até dar uma boa bronca pode ajudar, mas é insuficiente, pois o problema é mais profundo.

Estão certos os princípios do "amor exigente". Temos de exigir limites dos filhos, mas primeiramente temos de dar amor a eles. Os pais têm de dar a si mesmos, a sua amizade, o seu carinho, a sua atenção, a sua sabedoria e a sua inteligência para os filhos, para depois cobrar limites e reações.

Se os pais não procurarem ser os melhores amigos dos seus filhos, se não mudarem sua atitude diante deles, eles, além de procurar o efeito das drogas para compensar a indiferença e agressividade dos pais, continuarão a ser influenciados pelos colegas que as usam.

Os pais devem ter em mente que muitos jovens que experimentam drogas param de usá-las antes de se tornar dependentes. E que é possível que seu filho, por pior que seja a situação, possa se livrar do cárcere da dependência.

Coragem para atravessar o deserto da dependência, paciência para fazer a travessia, sabedoria para escolher o melhor caminho e amor para renovar as forças durante a caminhada são necessidades fundamentais tanto das pessoas dependentes como daquelas que os estão ajudando: pais, educadores, profissionais. Mesmo diante da mais dramática situação, devemos irrigar a alma de esperança.

Jamais devemos desistir de uma pessoa, por mais doente que esteja, por mais recaídas que tenha, por mais batalhas perdidas. Um dia, o pior inverno se tornará a mais bela primavera.

## 3. Resgatando o primeiro amor

Reconhecer erros é importante, fazer uma revisão de vida também, mas acusar-se mutuamente pelo fato de os filhos estarem usando drogas é o início da derrota dos pais.

A culpa e as reações agressivas, como vistas nos tópicos anteriores, propiciam um excelente caminho para a troca de acusações entre marido e esposa, criando uma barreira intransponível no relacionamento. Quem errou mais? O pai ou a mãe? Não são essas as perguntas que devem ser feitas, mas sim: "O que juntos vamos fazer para ajudar nosso filho?".

Com certeza, cada um tem seus fortes argumentos para expor as falhas do outro na educação do filho. Às vezes, a situação torna-se tão séria que o ambiente familiar se torna a "terceira guerra". Num momento tão sério, os pais deveriam manter-se unidos, relacionando-se com muito mais amor e respeito do que antes. A agressividade e o clima de acusação entre pai e mãe e dos pais para com o jovem, só fará com que este se afunde ainda mais nos pântanos das drogas.

Se um clima de amor, diálogo e respeito emergir do caos, o filho saberá enxergar essa transformação e admirar, quem sabe pela primeira vez, o comportamento de seus pais. Isso fará com que a aventura das drogas se torne psicologicamente menos interessante do que o espetáculo que está acontecendo no relacionamento familiar.

Se os pais reaprenderem a namorar e a resgatar o primeiro amor, ao invés de começar uma guerra de acusação, estarão fazendo um grande favor para si mesmos e para os filhos. Tal comportamento causará um impacto tão grande no inconsciente deles que começará a abalar o dinossauro da dependência. O tratamento dos filhos começa não apenas dentro deles, mas também no cerne da alma de seus pais.

## 4. Revolucionando a relação com os filhos

Quando um jovem usa droga, pouco a pouco, esta ocupa uma área importante no inconsciente dele. Como ocupar um espaço nos porões da memória de uma pessoa fechada para o mundo? É um grande desafio para a Psicologia e a Psiquiatria. Os livros de auto-ajuda pouco auxiliam em situações de fato complicadas.

Não há solução mágica. É preciso ter sensibilidade. É preciso abandonar os velhos métodos e reacender a criatividade. Não há coisa mais engenhosa do que penetrar no mundo de alguém e tornar-se importante para ele. Conquistar um espaço, um valor maior do que o da droga é um grande e belo desafio para os pais.

Dar conselhos pouco resolve. Mostrar que as drogas fazem mal à saúde também não. É uma batalha tão grande que deixa os próprios psicoterapeutas sem ação. Nesta batalha é completamente ineficaz falar mal do inimigo. É preciso mudar o foco de atenção. É preciso surpreendê-lo com novas atitudes. Vou procurar fazer uma síntese dos fenômenos que acho importantes.

### a) Um relacionamento permeado de descontração e prazer

Em geral, tenho verificado que o comportamento dos pais com o filho que está usando drogas é agressivo, pautado pela desconfiança, pouco afetivo e dado a muitas cobranças.

Quando conversamos com os pais e com o filho, isoladamente, eles se apresentam dóceis, lúcidos, humildes, cheios de sentimentos para com o outro. Porém, quando nos reunimos para falar um do outro, eles travam verdadeiras batalhas de agressões, acusações e ressentimentos. Separados, eles se amam; juntos, guerreiam.

Por que essa discrepância? Porque são vítimas do gatilho da memória, o qual desloca o território de leitura (âncora) para áreas de atritos, gerando reações que eles não conseguem administrar. As relações humanas são muito complexas. Reagimos ao outro não pelo que ele é, mas pelo que temos registrado dele dentro de nós. Se o registro for doentio, nossas reações serão doentias. Se durante toda a vida imperou a agressividade e as reações impulsivas, não espere que o mar se acalme na relação. É necessário, como já vimos, reconstruir o presente para reescrever o passado.

Há pais e filhos que nunca conseguem dialogar lúcida e tranqüilamente uns com os outros, embora se amem. O problema não é a falta de sentimentos entre eles. O problema é que são escravos da representação doentia que têm uns dos outros. Tal representação limita e confina o amor. Alguns, infelizmente, só sentirão o quanto seu pai ou seu filho é importante quando chegarem ao fim da vida.

Conduzir pais e filhos a compreender o gatilho da memória, a não gravitar em torno dos ressentimentos e a administrar os seus pensamentos e emoções nos focos de tensão é o primeiro passo para novas mudanças.

Para vencer o cárcere da emoção é necessário que os pais e os filhos construam um novo relacionamento, mais alegre, mais divertido, mais simples e afetivo. Devemos gravar esta frase: "Os pais devem se preocupar menos com a droga usada pelo filho e mais com o filho que usa a droga". Geralmente ocorre o contrário.

Os pais precisam desconsiderar a droga por um certo tempo e não olhar seus filhos como marginais ou adultos maliciosos que pretendem enganá-los. Devem olhá-los como seres humanos que necessitam ser fraternalmente envolvidos em seus braços e acariciados. Esse princípio vale para ajudar qualquer pessoa em qualquer situação.

Os pais devem aprender a tirar os gessos da inteligência: ser brincalhões, simples, e fazer programas divertidos junto com os filhos.

A correria do dia-a-dia, a fadiga do trabalho, os compromissos sociais, os problemas da vida acabam naturalmente tornando as relações entre pais e filhos distantes e muito formais. Esse clima de seriedade e frieza piora muito quando os pais descobrem que um filho está usando drogas. Por isso, o primeiro passo para os pais se aproximarem de seus filhos é deixar a crítica, o medo e as acusações de lado e começar a fazer de sua família uma festa, um canteiro de prazer.

O pai que se comporta como um "palhaço" para envolver e encantar seu filho tem muito mais possibilidades de ajudar o filho do que aquele pai que se comporta como um "policial" tentando puni-lo.

Não devemos jamais nos esquecer de que depois da dependência estar instalada, o problema não é mais a droga química, mas o "monstro" que habita no inconsciente. Como fazer para destruir esse "monstro" é o maior desafio da Medicina. Não é uma questão apenas e simplesmente de estar longe dela, mas de reaprender a viver sem a droga.

## b) Um relacionamento franco

O segundo passo que os pais devem dar para conquistar um espaço no mundo interior de seus filhos é ter com eles uma relação de franqueza, sinceridade e honestidade; sem, no entanto, deixar de lhes mostrar respeito e sem usar palavras sutis que impliquem desconfiança ou imposição.

Se, conforme dissemos no item anterior, os pais conseguirem criar um clima prazeroso e descontraído na relação com os filhos, estarão abrindo um caminho para manter com eles conversas sinceras e honestas.

Sem aquele primeiro passo fica difícil, porque qualquer palavra que disserem aos filhos soará como ofensa, perseguição ou intromissão. Mas, quando ao longo dos dias e semanas os pais despertam a admiração deles, automaticamente esses filhos os considerarão muito importantes e não gostarão de ofendê-los. Porém, é fundamental que os pais sejam honestos e sinceros.

Como já disse, ser honesto não significa ser agressivo nem dramático e muito menos ser impositivo. Os pais devem aprender a falar das drogas sem medo e sem tabus. Assim, os filhos se abrirão com eles e contarão sua verdadeira situação diante das drogas. Porém, ao saber disso, os pais não devem se apavorar, tampouco condenar os filhos, mas tentar permanecer tranqüilos, sem dar importância exagerada para elas. Devem crer que estão se tornando muito mais importantes na vida dos filhos e que irão convencê-los de que os admiram e acreditam que eles sairão vencedores daquela situação.

Nesse ambiente, os filhos vão apreciar muito mais seus pais, admirarão seu equilíbrio e honestidade, sua maturidade e a consideração demonstrada. Isso minimizará suas experiências com as drogas e aumentará o relacionamento com os pais.

Vi isto acontecer várias vezes: tão logo o relacionamento entre pais e filhos foi restaurado, as drogas passaram a ocupar um plano secundário na vida dos jovens e com isso eles se motivaram a parar de usá-las.

Um jovem pode parar muito mais facilmente de usar drogas por consideração pela sua vida e por amor e respeito aos pais do que em nome dos prejuízos físicos e psicológicos que elas podem provocar em suas vidas.

## c) Um relacionamento aberto

Novamente repito que os pais devem manter um relacionamento profundo com os filhos, compartilhando suas experiências, tanto as positivas como as negativas, para que os jovens não pensem que só eles enfrentam problemas. Pais que não têm coragem de reconhecer seus conflitos, de admitir suas fragilidades, de expor seus erros da juventude, certamente estão mais distantes do filho do que podem imaginar. Estão próximos fisicamente, mas muito distantes interiormente.

Os pais também devem compartilhar seus planos, desejos, visão de vida, dificuldades atuais, alegrias etc., sempre dentro dos limites da sobriedade e da simplicidade.

E devem aprender a ouvir os filhos. Ouvir é uma tarefa difícil, que poucos sabem desempenhar. Ouvir não é só ficar parado diante dos sons e palavras ditas pelos outros. É muito mais do que isso: implica nos despacharmos de todos os conceitos e julgamentos preconcebidos e precipitados que fazemos da pessoa que fala e das palavras que nos diz. Implica captarmos os sentimentos que vão sendo expressos na tonalidade das palavras e na forma como são faladas, ou seja, ouvir é entender aquilo que as palavras não puderam ou não quiseram dizer completamente. Implica ainda compreender e julgar os fatos com os elementos que nos são fornecidos, sem adicionarmos elementos nossos.

Apesar de nossas dificuldades, encorajo os pais a cultivar o hábito de ouvi-los, estimulando-os a falar de suas experiências de vida, de seus conflitos, alegrias, tristezas, amigos, sonhos.

Outra coisa importante a acrescentar é que os pais não devem valorizar só os filhos que não usam drogas. Uma pessoa que está usando drogas, por mais indiferente que pareça, ainda é uma pessoa muito sensível, sentindo-se facilmente rejeitada.

Sem exercitar a arte de ouvir e a arte do diálogo não há caminho para os pais ajudarem seus filhos, pois agirão como policiais e não como seus amigos. Se, ao contrário, aprenderem essas duas nobilíssimas artes da inteligência, ainda que tenham dificuldades em pedir desculpas uns para os outros pelos ouvidos rígidos e pelo diálogo engessado, certamente o relacionamento entre eles sofrerá uma profunda revolução, e se tornará uma bela poesia.

Comece tudo de novo. Recomece quantas vezes forem necessárias. Dê sempre uma nova oportunidade. Extraia vida das cinzas. Refaça as forças para uma nova batalha. Saiba que sábio é aquele que reconhece seus erros e é capaz de usá-los como alicerces da sua maturidade e não aquele que nunca erra. Pais e educadores, nunca desistam!

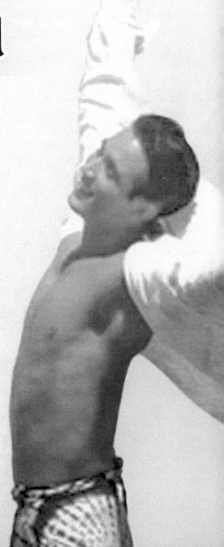

# A terapia multifocal

Uma ajuda
importante para
romper o cárcere
da emoção

Neste capítulo, retomaremos tudo o que vimos sobre o funcionamento da mente e aplicaremos esse conhecimento para estabelecer os princípios da terapia multifocal. Tais princípios poderão ajudar os pacientes a não apenas superar o cárcere das drogas, mas também o cárcere da emoção gerado por outras doenças psíquicas. Se o leitor tiver paciência consigo mesmo e despender uma atenção especial a este capítulo, certamente entenderá um dos mais complicados assuntos da Psicologia.

## 1. Corrigindo a retroalimentação da memória produzida pelo fenômeno RAM

O fenômeno RAM, como vimos, é o fenômeno do registro automático da memória. Todas as experiências que construímos na inteligência são registradas automática e involuntariamente por esse fenômeno que prefere registrar as experiências com maior carga emocional.

Quanto mais produzimos experiências que envolvam emoções, mais elas serão registradas privilegiadamente e mais ficarão disponíveis para ser lidas e para participar das reações, pensamentos, sentimentos, maneira de ser, visão de vida que temos no presente e que teremos no futuro.

A qualidade das experiências que tivemos na infância determina as características que teremos quando adultos, tais como descontração, segurança, sensibilidade, ansiedade. Podemos não ter consciência de nossas misérias do passado, mas elas infectam o nosso presente. Também podemos não ter consciência dos prazeres que tivemos, mas eles irrigam nossa capacidade de ser e de pensar.

Se tivemos uma infância regada com alegria, brincadeiras, criatividade e com alto grau de socialização, certamente temos grandes possibilidades de ter uma personalidade tranqüila, que contempla o belo e que aprecia o convívio social. Se, ao contrário, tivemos uma infância saturada com experiências punitivas, sem afetividade, desprovida de apoio, carente de elogios e restrita de amigos, então, temos grandes possibilidades de ter uma personalidade rígida, pouco sociável, insatisfeita, com baixa auto-estima e com humor basal triste.

Se um jovem usa continuamente drogas alucinantes, estimulantes e depressoras do cérebro, é de se esperar que o fenômeno RAM retroalimente o efeito da droga no inconsciente, produzindo um rombo na liberdade de pensar e de sentir.

De modo semelhante, uma pequena taquicardia com sensação de desmaio, ocorrida num elevador, se for retroalimentada pelo fenômeno RAM, pode transformar-se numa claustrofobia. Uma ofensa em público, se for retroalimentada, pode gerar um bloqueio social. Um medo súbito de que se vai morrer ou desmaiar num determinado momento, se for retroalimentado, pode transformar-se em síndrome do pânico.

Esses mecanismos psicológicos são universais e, portanto, estão de diferentes maneiras presentes na gênese de grande parte das doenças psíquicas. No caso das fobias, que representa uma aversão irracional, e no caso da dependência de drogas, que representa uma atração irracional, os mecanismos de formação são tão semelhantes que podemos dizer que são pólos opostos da mesma moeda.

Se ficarmos gravitando em torno dos nossos fracassos, continuaremos sendo fracassados. Se gravitarmos em torno de nossas frustrações, derrotas e faltas, continuaremos frustrados, angustiados, insatisfeitos e, o que é pior, não mudaremos os pilares de nossas vidas.

Todos temos de saber que, dependendo de como retroalimentamos nossas experiências, cavamos nossas próprias sepulturas. Se cuidamos da higiene bucal, por que não cuidamos dos pensamentos que são produzidos e registrados nos palcos de nossas mentes? Limpamos as sujeiras do mundo físico, mas não as sujeiras da alma. Se quisermos ser pessoas doentes, o melhor caminho é não intervir nos pensamentos negativos e nas angústias que produzimos no secreto de nossos seres. Contudo, se desejamos ser livres, precisamos aprender a trabalhar nossos pensamentos, superar nossas dores e proteger nossas emoções diante das turbulências da vida.

Devemos estar cientes de que os pensamentos e as emoções do presente não são importantes apenas no momento em que estão agindo no presente, mas são importantes porque serão os alicerces do que seremos no futuro. O estresse de hoje, ainda que passe amanhã, poderá ser usado como material para confeccionar o estresse de depois de amanhã.

A terapia multifocal principia quando começamos a deixar de ser espectadores da construção de pensamentos e passamos a atuar nos papéis da memória. Quando um usuário começa a criticar os pensamentos, emoções e desejos concernentes aos efeitos das drogas no silêncio da sua mente, ele começa a reescrever a sua história. A dependência de drogas cria raízes nas pessoas passivas, mas se esfacela nos pacientes que a enfrentam.

## 2. Atuando na produção de pensamentos
## — O fenômeno do autofluxo

Quem consegue interromper a construção de pensamentos? Só aquele que está morto. É impossível interrompê-la. A própria tentativa de interrupção já é um pensamento. Pensamos dormindo, nos sonhos, pensamos acordados, quando estamos trabalhando, andando, dirigindo o carro.

Pensar é o destino do homem. Às vezes, pensamos tanto que fazemos grandes viagens sem sair do lugar. Em algumas situações, ficamos até aborrecidos com nós mesmos, pois não ouvimos nada do que as pessoas nos disseram. Por vezes, temos de fazer uma "ginástica" para elas não perceberem que estávamos viajando no mundo das idéias.

Quantos pensamentos produzimos hoje? Milhares e milhares. Quantos deles, o "eu" (a vontade consciente) produziu com lógica e determinação? Já fiz essa pergunta a muitas pessoas, inclusive a intelectuais e a psicólogos, e a resposta, quando pensada, tem sido sempre a mesma. Respondem-me que a minoria dos pensamentos foi produzida pelo eu e a maioria surgiu aleatoriamente no cenário da mente. Tais pessoas não sabem, mas, ao me dizer isso, estão fazendo uma afirmação seriíssima a qual nunca foi estudada pela Psicologia.

Vamos raciocinar. A maioria dos pensamentos que transita em nossas mentes sobre pessoas, experiências passadas e futuras, problemas existenciais, de fato, não foi programada pelo eu. Não poucas vezes pensamos coisas absurdas sem nenhuma ligação com o que estamos fazendo ou com o ambiente em que estamos. Se não foi a vontade consciente do eu que os produziu, quem os produziu então? Foi um fenômeno que chamo de autofluxo.

O fenômeno do autofluxo, como o próprio nome indica, é o fenômeno responsável por produzir um fluxo de pensamentos e emoções durante toda história de vida humana, da meninice à velhice, da vigília ao sono. Ele produz milhares de leituras na memória, muitas vezes aleatoriamente. Qual é o objetivo? Há vários, e não há espaço para discorrer sobre eles neste livro. Quero ressaltar apenas um objetivo: a produção da mais excelente fonte de entretenimento natural da espécie humana.

Vocês sabiam que a maior fonte de entretenimento não é a TV, a literatura, o esporte, o sexo ou qualquer outra atividade humana? — O mundo mudou, a tecnologia bateu às nossas portas, os aparelhos de comunicação invadiram nossas salas, quartos e escritórios, mas a maior fonte de entretenimento continua intocável, imutável, é o mundo das idéias produzido pelo fenômeno do autofluxo. Como você gasta a maior parte do seu tempo? — Pensando. Grande parte de nossas angústias, distrações, sonhos, apreensões, expectativas, não é motivada diretamente pelos estímulos externos, mas pelo conjunto de pensamentos que diariamente produzimos.

O mundo das idéias produzido pelo autofluxo é a maior fonte de prazer natural ou a maior fonte de terror humano. Se as idéias que produzimos nos estimulam a ter sonhos, metas, ideais, projetos, certamente nos induzirão ao prazer, mas se forem negativas, derrotistas e ligadas a doenças, morte, acidentes, então nos induzirá à angústia e ao humor deprimido.

O grande problema é que se as idéias produzidas pelo fenômeno do autofluxo forem negativas, elas serão registradas privilegiadamente pelo fenômeno RAM, retroalimentando, assim, nossas doenças: as fobias, o pânico, a insegurança, as obsessões, a compulsão pelas drogas.

Se esses mecanismos de funcionamento da mente fossem ensinados sistematicamente aos jovens, a Educação daria um salto, pois daria condições para intervir em seu próprio mundo, no território dos seus pensamentos e emoções.

Lembro-me do que um dos meus clientes, um excelente jurista, disse-me que, se tivesse compreendido, desde pequeno, esses mecanismos, ele não teria desenvolvido um quadro grave de obsessão. Ele produzia diariamente centenas de idéias fixas ligadas ao câncer. Fazia o seu velório constantemente, embora tivesse ótima saúde. O fenômeno do autofluxo gerou nele uma longa história de terror. Todavia, ele aprendeu a gerenciar tais idéias e a resgatar o prazer de viver. A compreensão desses fenômenos e mecanismos psicodinâmicos é extremamente útil para a psicoterapia e para a prevenção social.

Se um jovem pensa continuamente nas drogas, mesmo que não esteja sob o seu efeito, estará expandindo o significado inconsciente delas. Assim, ao contrário do que muitos pensam, inclusive terapeutas, a alimentação do cárcere das drogas não é produzida apenas pelos efeitos que elas podem provocar, mas pelo universo de pensamentos e emoções produzidos pelo fenômeno do autofluxo.

Aprender a administrar as idéias negativas e gerenciar as emoções tensas é outro item da terapia multifocal. Nesse aspecto, digo com modéstia, a terapia multifocal, freqüentemente, vai além das psicoterapias convencionais. Ela não trata apenas a doença psíquica, mas expande as funções mais importantes da inteligência do doente, até levá-lo a ser um pensador, um agente modificador da sua história, um administrador das suas emoções. Ela atua nos papéis da memória e nos fenômenos que constroem a inteligência e formam a personalidade. Por um lado, ela é complexa; por outro, passível de ser compreendida e fácil de ser aplicada.

Como a terapia multifocal atua nos papéis da memória e nos fenômenos que constroem as cadeias de pensamentos, ela não compete com outras terapias: a psicanálise, o psicodrama, a comportamental, a cognitiva. Pelo contrário, ajuda-as. Todas as terapias foram derivadas de teorias que estudaram a mente humana a partir do pensamento já elaborado, ou seja, a partir dos alicerces prontos. A multifocal começa pelo estudo dos alicerces da inteligência, ou seja, dos fenômenos que lêem a memória e constroem a personalidade e estabelecem o funcionamento da mente. Portanto, mesmo se um terapeuta não quiser aplicar exclusivamente a terapia multifocal, ele pode muito bem conviver com sua psicoterapia tradicional e abraçar os alicerces da terapia multifocal.

## 3. Reescrevendo a memória: abrindo as janelas da mente

Tente fazer uma faxina nos porões de sua memória. Você não conseguirá. Esforce-se para extrair todo sentimento de culpa, autopunição, rigidez, rejeição, que foi registrado nela. Não terá êxito. É possível limpar as teias de aranha dos nossos tetos e fazer uma limpeza em nossas escrivaninhas, mas não é possível remover a sujeira contida em nossas memórias. Só é possível reescrevê-las.

Os arquivos da memória contêm o tecido de nossas experiências conscientes e inconscientes. Tais arquivos jamais podem ser destruídos, a não ser involuntariamente, por meio de um tumor cerebral, um trauma craniano ou uma degeneração das células nervosas, como na doença de Alzheimer. Destruir esses arquivos significa destruir nossa consciência, esfacelar nossa identidade.

Se tivéssemos a liberdade de passar uma "borracha" em nossa memória, teríamos a vantagem de poder eliminar todas as misérias e todos os traumas contidos nela. Nos computadores temos essa liberdade; em segundos, apagamos o trabalho feito durante anos. Entretanto, essa liberdade poderia gerar o maior desastre intelectual. Correríamos o risco de cometer um suicídio contra nossa consciência, contra a nossa capacidade de pensar, pois, num momento de angústia, poderíamos desejar esquecer todo o nosso passado e começar tudo de novo. Isso produziria a morte da identidade. Não saberíamos mais quem somos, como estamos e onde estamos. Tornar-nos-íamos animais irracionais, pois não teríamos mais a consciência da existência.

O Criador deu muitas liberdades ao homem que criou, inclusive a de negar a Sua própria existência, mas não lhe deu liberdade para mexer nos arquivos e deletar sua memória, pois isso conspiraria contra a própria liberdade, porquanto sem a memória não poderíamos produzir pensamentos e tomar decisões. Portanto, Ele protegeu a memória contra os ataques do eu, contra as possíveis crises que o homem atravessa. Apagar a memória é impossível, só é possível reeditá-la.

Quem tem síndrome do pânico, obsessão por doença ou depressão, se quiser ficar livre, tem de reescrever a sua história. Não há milagres no tratamento psicoterapêutico e psiquiátrico. Não importa a corrente psicoterapêutica usada, se houve sucesso no tratamento é porque, ainda que o terapeuta não tenha consciência, o paciente reescreveu os seus conflitos, aprendeu a gerenciar seus pensamentos e a usar o fenômeno do gatilho da memória, da âncora da memória, do autofluxo, bem como o fenômeno RAM.

Vamos recordar. O fenômeno do gatilho da memória é o fenômeno que inicia, a partir de um estímulo físico, tal como um elogio, ou psíquico, tal como um pensamento, a leitura da memória e produz as primeiras reações, impressões, sensações, sentimentos e pensamentos. Esse fenômeno desloca a âncora da memória, ou seja, o seu território de leitura para uma determinada região e, conseqüentemente, confina a leitura do fenômeno do autofluxo a esta área. Assim, o paciente que está numa crise de pânico, numa crise compulsiva de usar a droga ou em outra crise emocional qualquer, produzirá idéias e emoções ligadas ao grupo de informações contidas nessa zona específica da memória.

Para alguns, esse mecanismo pode ser difícil de ser entendido, mas decerto todos o vivem diariamente. Quantas vezes alguns problemas nos causam tantas preocupações que detonam um gatilho que nos leva a pensar continuamente neles? Queremos desviar o pensamento, mas não temos êxito. O que aconteceu? O gatilho deslocou o território de leitura para uma área da memória e o fenômeno do autofluxo começou a lê-la continuamente, produzindo idéias fixas sobre o problema.

Muitos não vivem o cárcere das drogas, mas vivem o cárcere das preocupações e dos pensamentos antecipatórios. Pessoas assim têm uma vida intranqüila, não suportam contrariedades e vivem intensamente os problemas que ainda não ocorreram. Tornam-se, de fato, os piores inimigos de si mesmas.

Precisamos aprender a gerenciar nossa inteligência, a administrar a usina de emoções que é produzida no cerne da alma, a resgatar a liderança do eu diante dos estímulos estressantes. Assim, poderemos reeditar os textos principais de nossas vidas.

## 4. O resgate da liderança do eu

O que é o eu? O eu é a vontade consciente. É a consciência de que pensamos e de que podemos administrar os pensamentos. O eu, aqui, não quer dizer o ego de Freud, que é uma parte da estrutura da personalidade, nem quer dizer ego como vida natural da psique humana.

Na teoria da inteligência multifocal, o eu é a identidade psíquica e social do homem. É a consciência que define quem somos, como estamos, onde estamos, qual o nosso papel e quais as nossas responsabilidades e habilidades sociais. Representa o centro consciente da personalidade, representa a motivação consciente do homem de atuar no seu mundo e ser um agente modificador da sua história. Portanto, por ser a identidade consciente do homem, o eu nunca se destrói, apenas se transforma. A única coisa que pode levar o eu à destruição é a morte ou a lesão da memória, mediante, como já disse, a ação de tumores e traumas cerebrais.

Como o eu poderá ser um agente modificador de sua vida, reescrever a sua história? Ele pode acrescentar continuamente novas experiências nos arquivos da memória, através da leitura de livros, aquisição de novas informações, produção de sonhos, metas e prioridades.

Por que determinadas pessoas nunca mudam suas características doentias? — Porque são pobres na sua criatividade, não têm sonhos nem metas, não questionam seus conceitos e paradigmas, são incapazes de indagar por que estão vivas e de procurar um sentido mais nobre para as suas vidas. São passantes existenciais, ou seja, passam pela vida sem nunca mergulhar dentro de si mesmas, sem ter consciência do espetáculo da vida. Porque também não se interiorizam, não aprendem a reconhecer seus erros nem a repensar sua maneira de ser e reagir diante dos eventos que a circundam. Possuem, portanto, um eu frágil, inseguro, instável, temeroso, incapaz de mudar as suas rotas psíquicas, sociais e profissionais.

Há pessoas que têm grande cultura, são consideradas intelectuais, mas parecem imutáveis em seu orgulho, agressividade, impulsividade, ansiedade. São prisioneiras e infelizes, tais como os farmacodependentes. Estes são controlados pela droga química, aqueles pela droga do preconceito e da rigidez.

Como o eu pode acelerar o processo de se tornar um agente modificador da sua história? Por meio de resgatar a sua liderança "no" e "fora" do foco de tensão. Vejamos.

## 5. O resgate da liderança do eu no foco de tensão

O resgate da liderança do eu no foco de tensão refere-se ao gerenciamento das reações instantâneas (ansiedade, desespero, medo, impulsividade etc.) detonadas pelo fenômeno do gatilho da memória. Se o eu tiver êxito em atuar na tensão, ele não apenas domina o foco de tensão, mas também administra os territórios de leitura da âncora da memória e, conseqüentemente, recicla os pensamentos produzidos pelo fenômeno do autofluxo, principalmente se estes forem fixos e negativos.

Por exemplo, se um paciente produzir em determinado momento um ataque de pânico, ele terá segundos para resgatar a liderança do eu no foco de tensão, caso contrário, o palco de sua mente será invadido por pensamentos e emoções produzidos pelo fenômeno do autofluxo e que serão difíceis de ser administrados. Do mesmo modo, se um paciente começa a produzir, por meio do gatilho da memória, pensamentos negativos que aumentam o grau do humor deprimido ou do transtorno obsessivo ou do desejo compulsivo de usar drogas, ele terá poucos momentos para atuar nesses pensamentos e emoções e reciclá-los.

Diante de qualquer foco de tensão, ou seja, diante de qualquer turbulência emocional e de pensamentos angustiantes, cumpre ao eu resgatar sua liderança e administrar, discutir, criticar, enfim, dar um novo significado a esse foco de tensão, silenciosamente, no palco da mente, caso contrário, o fenômeno do autofluxo dominará a inteligência. Por exemplo, há pessoas extremamente negativas. Qualquer problema, por menor que seja, detona pensamentos negativistas. Se elas não atuarem em cada idéia e reação negativa, serão sempre vítimas de sua miséria e, o que é pior, estarão registrando de volta tais idéias e reações, acrescentando, dia a dia, mais tijolos na sepultura do seu negativismo.

Recordo-me de um empresário que sofria de depressão e transtorno obsessivo. Além disso, tinha uma grave timidez, que muitas vezes era interpretada como se ele fosse uma pessoa orgulhosa e insociável. Os tímidos são pessoas simples e humanas, mas vendem pessimamente a sua imagem. Na terapia, procurei fazê-lo compreender os papéis da memória e resgatar a liderança do eu nos focos de tensão. Ele deu um salto na qualidade de vida.

Se os pais e as escolas ensinassem aos alunos a intervir no seu mundo psíquico, teríamos homens menos doentes e muito mais saudáveis.

De fato, um dos mais graves erros da educação familiar e escolar, bem como de alguns tipos de psicoterapias, é transformar o ser humano num espectador passivo de sua própria miséria. As doenças psíquicas, incluindo o cárcere das drogas, alojam-se em pessoas passivas, alojam-se em quem não tem coragem de intervir nos focos de tensão.

Repito sempre que o grande entrave no tratamento psicológico não é a doença do doente, mas o doente da doença. A grande dificuldade é a disposição do eu em modificar a sua história e não a dimensão da sua doença. Às vezes, a doença não é grave, mas o doente é frágil, passivo, descrê de sua capacidade, vive a prática do coitadismo e do auto-abandono. Esse paciente é difícil de ser ajudado, pois é quase que impenetrável.

Por outro lado, às vezes, a doença é grave, uma depressão séria ou uma dependência crônica de drogas, mas o paciente tem grande disposição de mudar a sua história e de atuar dentro de si mesmo. Além disso, apesar de assumir que está doente, é inconformado com sua doença. Ele exige ser saudável e reivindica dentro de si mesmo o direito de ser livre e feliz. Um paciente assim, por mais grave que seja a sua doença, certamente sairá do seu cárcere. O problema não é ser doente, mas é conformar-se em ser doente.

Solicito aos educadores que ensinem os seus alunos a ser agentes modificadores da sua história, que os estimulem a enfrentar os seus medos, a discutir consigo mesmos os seus conflitos, tal como a timidez.

A timidez é uma fábrica de sofrimento. Muitos jovens têm timidez patológica ou doentia e a educação clássica não faz nada por eles.

Peço também aos professores que os estimulem a fazer no palco de suas mentes, sem ninguém ouvir, uma mesa redonda com a insegurança, o complexo de inferioridade, o conflito com os pais, a agressividade, a dependência de drogas. Uma das coisas mais saudáveis que uma pessoa deveria fazer, e não faz, é conversar consigo mesma e criticar o lixo que passa em suas mentes.

Não podemos passivamente esperar nossas crianças e nossos jovens ficarem doentes para depois tentar tratá-los. Isso é injusto e desumano. As doenças psíquicas impõem grande sofrimento e podem apagar o brilho da vida.

A Educação tem uma tarefa mais nobre do que a Psicologia e a Psiquiatria clínica. Estas tratam do homem doente, aquela forma, ou deveria formar, um homem saudável. Quanto mais eficiente for a Educação, menos espaço a Psiquiatria e a Psicologia clínica terão nas sociedades modernas. Quanto menos eficiente for a Educação, mais essas duas ciências serão imprescindíveis nas sociedades modernas. Infelizmente nossos consultórios estão cheios.

Não há gigantes no território da emoção. Todos somos aprendizes na escola da vida, quer sejamos psiquiatras quer sejamos pacientes. Se o eu aprender a intervir com lucidez, crítica e determinação nos pensamentos e emoções tensas e negativas, ele pode gerenciá-los, controlá-los e, conseqüentemente, reescrevê-los.

## 6. As doenças psíquicas não se resolvem com um golpe de bisturi

Os pacientes que são médicos cirurgiões costumam ter uma dificuldade a mais na terapia do que os outros pacientes. Por quê? — Porque apesar de cultos, eles estão acostumados a resolver tudo com um bisturi. Retiram um tumor, um cálculo renal, uma úlcera e em pouco tempo suturam o doente. Entretanto, não dá para usar um bisturi no campo da energia psíquica. Não é possível reorganizar a depressão, as fobias, a irritabilidade num golpe de mágica.

Vezes há em que após algumas sessões de terapia, o paciente já apresenta significativas melhoras do seu quadro depressivo e ansioso. Todavia, eu já os preparo para possíveis recaídas.

As recaídas ocorrem, mesmo no caso do cárcere da dependência, porque há arquivos doentios que estão presentes na memória e não foram reescritos. Quando o paciente passa por um foco de tensão, o fenômeno do gatilho da memória produz imediatamente reações emocionais que deslocam a âncora da memória para esses arquivos doentios. Nesse momento, eles têm a recaída. Nesse momento também entra em ação o fenômeno do autofluxo. Ele começa a ler continuamente as informações contidas nesse território, realimentando as doenças psíquicas. No caso das depressões e das doenças ansiosas, o fenômeno do autofluxo gerará cadeias de pensamentos negativos, fóbicos, tensos, que, quando registrados, financiarão a perpetuação dessas cadeias.

Do mesmo modo acontece com as drogas. Os dependentes têm um "monstro" no inconsciente que, às vezes cochila, mas ainda não está exterminado. As experiências sobre as drogas ocupam áreas importantes da memória. O paciente pode estar bem, sem usar drogas há semanas ou meses. Então, de repente, diante de um foco de tensão, que pode ser uma perda, um humor deprimido, uma ofensa, uma oferta de droga e até a imagem de uma pessoa usando-a, o gatilho da memória pode ser detonado e gerar um desejo de usá-las.

Mas é possível que ele ainda esteja firme e determinado a não usá-la. Todavia, o gatilho da memória não apenas gerou cadeias de pensamentos sobre as drogas e o desejo de usá-las, mas também deslocou a âncora para áreas críticas da memória, onde estão arquivadas milhares de experiências sobre elas.

Se o paciente não resgatar a liderança do eu nesse foco de tensão, se não administrar seus pensamentos e emoções nessa situação, ele será dominado pelo desejo compulsivo e partirá para o uso. Se resgatar a liderança do eu, ele sairá vitorioso. Não apenas superará o foco de tensão e vencerá o desejo compulsivo das drogas, mas também reescreverá a sua história inconsciente, pois a experiência de superação que tiver será registrada na memória. Assim, vencerá mais uma batalha, reescreverá mais um capítulo de sua vida.

Se ele recair, deve tomar cuidado, pois o fenômeno do autofluxo continuará produzindo cada vez mais pensamentos e emoções que o farão gravitar em torno da droga. Todas essas experiências serão registradas, aumentando, assim, a imagem da droga no inconsciente. Contudo, se ele recair e, em seguida, resgatar a liderança do eu, criticar com lucidez sua recaída, refizer suas energias e não se deixar estrangular pelo sentimento de culpa, baixa auto-estima e sentimento de auto-abandono, então a recaída poderá torná-lo mais forte. Porém, raramente, os terapeutas conhecem esses mecanismos.

No tratamento de consultório e não no de internação, nós, ainda que peçamos abstenção absoluta das drogas ao paciente, devemos abrir uma janela do fundo e prepará-lo para uma possível derrota temporária. Mas, dificilmente, algum terapeuta abre essa janela. Isso ocorre não apenas porque desconhecem o funcionamento da mente, mas porque têm um medo ingênuo de que este preparo possa estimular a recaída. Por isso, quando ocorre recaída, ela é extremamente destrutiva, pois gera um derrotismo e um sentimento de culpa insuportáveis, que conduzem o paciente a se afundar novamente nos pântanos do cárcere da dependência.

Devemos também preparar os pacientes portadores de depressão, síndrome do pânico e transtornos obsessivos para possíveis recaídas. Temos a responsabilidade de torná-los mais fortes depois de uma recaída. Caso contrário, quando ela ocorrer, eles abandonarão o tratamento e serão vítimas da fábrica de pensamentos negativos e de emoções angustiantes produzidas pelo fenômeno do autofluxo. Recair, mas levantar rápido e tornar-se mais sólido, deveria ser um lema de vida de todos aqueles que querem ser livres da pior prisão do mundo.

É muito melhor não recair, pois uma recaída sempre retroalimenta as imagens doentias no inconsciente da memória. Mas o pior é não saber o que fazer com uma recaída. Se o sentimento de culpa, de auto-abandono e de baixa auto-estima ocupar o palco da mente de um paciente, então sua recaída será prolongada e trará grandes sofrimentos e retroalimentará o seu transtorno psíquico ou a sua dependência.

A terapia multifocal objetiva que o paciente continue o processo psicoterapêutico nos territórios onde ele vive e atua. É um grande engano fazer com que os pacientes só se tratem quando estão diante de um terapeuta, seja ele um psiquiatra, psicólogo ou agente de saúde, ou mesmo quando estão internados. Eles devem continuar o tratamento nos territórios sinuosos da vida.

Nunca seremos plenamente líderes de nós mesmos, nunca controlaremos todos os nossos pensamentos e emoções, mas isso não quer dizer que nossas mentes sejam um barco que navega ao sabor do vento. Podemos não controlar muitas variáveis que dão instabilidade às ondas de nossas emoções, mas podemos tomar o leme da inteligência e atingir nossos objetivos.

### 7. O resgate da liderança do eu fora do foco de tensão: reescrevendo a história

Os pacientes dependentes precisam aprender a não apenas resgatar a liderança do eu nos focos de tensão, mas também fora dos focos de tensão. Por quê? Porque é insuficiente que ele atue apenas quando se detona o gatilho do desejo compulsivo de usar drogas. É necessário que ele também reescreva a sua história fora dos focos de tensão, ou seja, quando o ambiente emocional está tranqüilo, para que ele possa acelerar a reorganização dos arquivos. Quem atua com eficiência nesta fase, tem mais possibilidade de ficar livre rapidamente do cárcere da emoção. Aqueles que esperam estar debaixo de um foco de tensão para poder atuar dentro de si mesmos, libertam-se mais lentamente.

Como fazer isso? — Imagine a memória como sendo uma imensa cidade. Nela, há vários bairros, com várias ruas, com vários endereços residenciais. Cada uma dessas residências é como se fosse uma experiência existencial. Existem casas simples, que simbolizam experiências de pouca emoção. Há, entretanto, outras casas imensas, verdadeiros palácios, que simbolizam experiências de intensas emoções.

Entre essas experiências marcantes estão as produzidas pelas drogas. Não é fácil reescrevê-las, pois não sabemos onde elas estão registradas no córtex cerebral. Não sabemos nem mesmo como elas foram arquivadas e quais as conexões e proximidade que possuem com as experiências saudáveis. Diante disso, repito a indagação. Como reescrevê-las e como acelerar o processo? Como resgatar a liderança do eu fora do foco de tensão, ou seja, quando tudo está calmo?

Só fazer terapia e compreender as causas conscientes da doença é insuficiente. Só resgatar a liderança do eu, quando o gatilho da compulsão é detonado, também é pouco. É preciso atingir outros braços da terapia multifocal. Não sabemos qual o lócus dessas experiências e não temos como eliminá-las. Então nos resta a alternativa de construir idéias saudáveis, criativas e críticas, dezenas de vezes, tanto a favor da vida como contra a dependência das drogas, bem como contra a fragilidade e passividade do eu.

Os usuários de drogas, bem como os portadores de outras doenças, precisam fazer, no silêncio de suas mentes, uma mesa redonda para discutir suas atitudes impensadas, suas incoerências, sua dificuldade em lidar com as frustrações, de superar suas dores. Essa é a técnica do resgate da liderança do eu fora dos focos de tensão. Cada pensamento novo, crítico, regado a reflexão e sabedoria vai sendo continuamente registrado, reescrevendo a história inconsciente e desorganizando o cárcere das drogas, o cárcere da claustrofobia, da cleptomania, da síndrome do pânico, dos transtornos depressivos.

Reescrever a história inconsciente por meio do resgate da liderança do eu fora dos focos de tensão é um brinde à liberdade. Essa técnica precisa ser feita todos os dias, de segunda a segunda, por cerca de um a dois anos. É preciso fazê-la com honestidade, inteligência e espontaneidade, dentro dos limites da criatividade de cada um, como se o paciente fosse um engenheiro de idéias.

Atuar "nos focos de tensão" produz o alívio imediato e atuar nos arquivos que estão fora dos focos de tensão reorganiza a história e produz as raízes da saúde psíquica.

Os pacientes que estão internados devem fazer um inventário de suas experiências todos os dias. Se possível, reconstruir as mais importantes, tais como suas recaídas, os momentos de influência de amigos, os momentos de solidão, as dores que não superaram e os efeitos das drogas em cada uma dessas situações. Eles devem dar um novo significado a elas, para que possam reescrevê-las. Esse procedimento, associado às técnicas psicoterapêuticas, dá profundidade ao tratamento e acelera-o.

É indispensável irrigar nossos pacientes com esperança. É preciso fazê-los mais fortes, ousados e determinados, mesmo após possíveis recaídas. É preciso levá-los a compreender quão necessário é enxergar as doenças como se fosse um livro com muitos capítulos ou uma guerra com muitas batalhas.

Um capítulo com cenas dramáticas não quer dizer um livro sem final feliz. Nem a perda de algumas batalhas quer dizer a perda de uma guerra. Desistir nunca, perseverar sempre.

## 8. Passos estratégicos para o tratamento da terapia multifocal

*Estes passos podem ser usados como metas em qualquer tipo de tratamento e psicoterapia. Cada passo deve ser vivido semanalmente como uma meta a ser alcançada. Deve ser pensado, refletido e proclamado no silêncio da mente, dezenas de vezes por dia, com inteligência e criatividade. Eles complementam os clássicos passos dos AA (Alcoólicos Anônimos).*

1º) Declaro que a liberdade e o prazer de viver são meus direitos, independentemente das intempéries da vida que estou atravessando. Não preciso do efeito das drogas para ser livre e feliz.

2º) Estou consciente de que a dependência e a mentira são amigos íntimos. Declaro que fico livre tanto da dependência como da mentira. Assim como o Mestre dos mestres, Jesus Cristo, declarou com autenticidade que sua alma estava angustiada antes de morrer, também eu decido falar dos meus sentimentos e desejos com sinceridade. Viverei a arte da autenticidade.

3º) Reconheço a minha doença, mas decido convictamente que não quero ser um doente (farmacodependente, deprimido, obsessivo etc).

4º) Enfrento sem medo as minhas dores emocionais (ansiedade, angústia, frustração, humor deprimido) e as trabalho com dignidade e sabedoria, pensando antes de reagir.

5º) Estou consciente de que, uma vez dependente, o meu problema não é mais só a droga fora de mim, mas a imagem dela registrada na minha memória, no meu inconsciente. Portanto, reescrevo a minha memória a cada momento com idéias saudáveis e inteligentes.

6º) Critico todas as idéias e pensamentos negativos que povoam o palco da minha mente e que me desanimam de reconstruir uma nova vida. Transformo os meus invernos em belas primaveras.

7º) Resgato a liderança do eu nos focos de tensão gerados pelas minhas perdas, dificuldades e frustrações e, conseqüentemente, domino o gatilho da memória que produz a ansiedade, o humor deprimido e a compulsão pelas drogas.

8º) Nunca vou desistir de mim. Determino a abstenção completa das drogas, incluindo o álcool. Todavia, se eu recair, redobrarei o meu ânimo e recomeçarei imediatamente meu tratamento e não me afogarei no sentimento de culpa e de auto-abandono.

9º) Posso perder algumas batalhas, mas não perco a guerra contra a minha doença psíquica. Supero todo fracasso, angústia e desmotivação. Construo um oásis em cada deserto que atravesso.

10º) Tenho plena convicção de que o Autor da existência, Deus, me criou para ser livre, alegre e saudável. Por isso, eu O amo com toda a minha alma.

Capítulo
10

# O sentido da vida

Valorizar a vida é
a grande prova de
sabedoria

A vida humana é um mistério insondável. Só o fato de eu estar escrevendo estas palavras, colocando nelas os meus sentimentos e pensamentos, e de vocês, leitores, em algum lugar, estarem lendo-as e transmitindo-as para seu córtex cerebral, para, em milésimos de segundos, conferi-las nos complexos arquivos da memória e produzir reações e emoções que são suas e não mais minhas, expressa um profundo e complexo mistério, privilégio da maravilhosa vida que possuímos.

Quando paro para observar as pessoas que me rodeiam — suas palavras, expressões, reações, comportamentos e atitudes —, fico simplesmente boquiaberto com a complexidade de nosso psiquismo. Vocês não acham que pensar é uma experiência fantástica? Que o fato de possuirmos sentimentos de alegria, paz, amor e até mesmo angústia, ansiedade e sentimento de culpa é um mistério incalculável? E o fato de brotar instantaneamente no palco de nossas inteligências um universo de impulsos e desejos, não retrata também um grande mistério?

Quem não consegue ficar surpreso, pasmado com a mente humana está entorpecido, não por drogas químicas, mas por estresse, ansiedade, preocupações e dificuldades sociais e financeiras. Quem não consegue ficar, como os gregos diziam, assombrado com os fenômenos que estão à sua frente, nunca poderá aprender algo com eles.

Encorajo os leitores a deixar momentaneamente seus problemas, preocupações, necessidades e até mesmo suas angústias e vazios existenciais e colocarem-se diante de um ser humano, mesmo que seja uma criança recém-nascida, ou uma pessoa idosa na fase final de sua história de vida. Gastem tempo observando, contemplando as pessoas. Se fizerem isso, será impossível não vislumbrar como a vida que possuímos, independentemente dos atropelos, é encantadora e misteriosa.

Porém, apesar de a vida humana possuir um valor inestimável, ela tem sido vivida pela maioria de nós de maneira superficial e insignificante. Tão superficial, que a fina camada de pele que cobre nosso corpo tem servido de parâmetro para discriminar seres humanos de cores diferentes. Tão insignificante, que vivemos quase que exclusivamente em função do "ter" e não do "ser", ou seja, em função de ter dinheiro, sucesso social, um bom carro, andar no rigor da moda, mas não em função de ser alegre, tranqüilo, coerente, tolerante.

O resultado dessa trajetória vazia, qual é? A farmacodependência, os sintomas psicossomáticos, a solidão, a violência. No que tange à violência e às violações dos direitos humanos, a crise é dramática. É com pesar que podemos constatar que um código de leis, que estabelece os limites dos direitos e deveres dos cidadãos em uma sociedade, é insuficiente para controlá-los, sendo necessária a presença impositiva de um batalhão de policiais para garantir o cumprimento dessas leis. E, como isso ainda é insuficiente, as sociedades necessitam de grande número de presídios, para poder punir os que acabam infringindo as leis. O homem pensante é capaz de ser mais violento do que os animais irracionais.

# 1. A vida e a sabedoria

A Ciência ampliou-se muito nos dias de hoje, porém não elevou o padrão de vida humana, não produziu homens maduros e experientes. Uma pessoa pode deter muito conhecimento científico, ter títulos acadêmicos, mas, ainda assim, poderá ser infantil, imatura na sua experiência de vida, não sabendo suportar nem crescer diante de suas frustrações.

A Psicologia é muito útil ao homem, porém, mesmo com as teorias e técnicas atuais, não tem a capacidade de financiar a maturidade da psique, a fim de que a emoção seja contemplativa e bem resolvida, os comportamentos sejam dosados e sóbrios e os desejos sejam serenamente governados. Tais características dependem muito do processo de formação individual da personalidade, principalmente da maneira íntima e particular de trabalhar as frustrações, fracassos e dores e do desenvolvimento de metas, prioridades e sonhos.

A Ciência tem paradoxos impressionantes. Por meio da Medicina, ela evoluiu muito como tentativa de aliviar a dor e prolongar a existência; porém, também evoluiu na engenharia bélica, armamentista, como tentativa repugnante de destruir a vida humana da maneira mais rápida e eficaz possível. Que contraste! Nós nos tornamos gigantes na Ciência, mas meninos no procedimento.

Nunca deveríamos sentir vergonha dos outros, nunca deveríamos abandonar as pessoas. Um pai jamais deve desistir de seu filho, mesmo que seja um rebelde e possua uma grave farmacodependência, pois, por pior que sejam seus erros, ele ainda é um ser humano. A sociedade pode rejeitá-lo e discriminá-lo ao máximo, mas devemos estender nossas mãos a ele, mesmo que ele a rejeite. Se ele rejeitar nossa ajuda, devemos usar toda a habilidade para criar um novo clima na relação social e familiar e, assim, despertar o interesse dele pela vida.

Se ele recusar qualquer ajuda, devemos propor a internação. E, se ele ainda assim recusar, não há nada a fazer a não ser esperar. Os pais que descobrem o caminho de Deus e da oração encontram, nesta angustiante jornada, algo que a Psiquiatria e a Psicologia jamais poderão oferecer. Encontram força na fragilidade e paz no caos.

Impor uma internação ou qualquer tipo de ajuda não resolve. Devemos esperar. Esperar não quer dizer desistir, mas aguardar até que a pessoa dependente o procure. Repito, não devemos impor nossa ajuda, mas sempre colocá-la à disposição com gentileza e dignidade. Os pais não devem viver em função da pessoa que se droga, mas devem dar a ela tantas oportunidades quantas forem necessárias. Amá-lo incondicionalmente não quer dizer ser permissivo. É necessário colocar limites em seus comportamentos, tais como controlar seus gastos e não permitir agressividade no ambiente familiar.

Devemos elogiar muito mais do que criticar. Se isso é válido para qualquer tipo de pessoa, imagine como não é válido para uma pessoa sob o cárcere da dependência. O elogio abre janelas da memória e faz com que nossa ajuda e até nossa crítica tenham um impacto saudável. Se não conseguimos elogiar uma pessoa, não devemos criticá-la, pois, nesse caso, a crítica funciona como uma lâmina que fere a emoção e trava a inteligência.

O elogio constrói novas avenidas no relacionamento. A pessoa vítima da farmacodependência já está cansada de ser criticada e de saber que está errada. As críticas só servem para adubar a sua miséria e a sua solidão.

Devemos aprender a criar novos canais de comunicação com ela. Nesse sentido, a sabedoria do Mestre de Nazaré é encorajadora. Cristo criou ricos canais de comunicação com seus íntimos. Tratou das raízes mais íntimas da solidão. Construiu um relacionamento aberto, ricamente afetivo, sem preconceitos. Ele valorizou elementos que o poder econômico não pode comprar, elementos que estão no cerne das aspirações do espírito humano, no âmago dos pensamentos e das emoções.

O Mestre reorganizou o processo de construção das relações humanas entre seus discípulos. As relações interpessoais deixaram de ser um teatro superficial para ser fundamentadas num clima de amor poético, impregnado de solidariedade, de busca de ajuda mútua, de diálogo aberto.

Os jovens pescadores que seguiram o Mestre galileu, que eram tão limitados culturalmente e que possuíam um mundo intelectual tão pequeno, desenvolveram a arte de pensar, conheceram os caminhos da tolerância, aprenderam a ser fiéis às suas consciências, vacinaram-se contra a competição predatória, aprenderam a trabalhar suas dores e suas frustrações, enfim, desenvolveram as funções mais importantes da inteligência.

A sabedoria do Mestre de Nazaré não tem precedente histórico. Ele conseguia penetrar na dor de cada ser humano e compreender seus sentimentos mais represados. Conseguia falar ao coração das pessoas mais rígidas e desprezadas e ouvir as palavras que não diziam. Estar ao lado Dele era relaxante e agradável. Sabia dos erros das pessoas, mas não as acusava nem as excluía. Ele era tão agradável e instigante que até mesmo os seus mais ardentes opositores não se afastavam Dele, pois apreciavam ouvi-lo.

## 2. Caminhando nas trajetórias de nosso próprio ser

Não é possível viver uma vida social e emocional saudável sem aprender a nos interiorizar, a nos conhecer mais intimamente e a desenvolver uma capacidade de autocrítica e reflexão sobre o que somos e como reagimos diante das nossas fantasias e das circunstâncias externas.

A busca de interiorização não deveria ser um caso excepcional, somente quando o psiquismo adoece e então se procura a ajuda de um profissional da área de Psiquiatria e Psicologia. Essa busca deveria ser algo rotineiro em nossas experiências de vida. Ela deveria ser estimulada pelos pais e pela escola, desde quando as crianças são pequenas.

Não é possível produzir homens maduros que sabem se conduzir se eles não aprendem a autocrítica, a pensar antes de reagir, a estabelecer limites para seus comportamentos e, principalmente, se não aprendem a desenvolver a sabedoria.

Diante disso, minha conclusão é que a problemática das drogas não tem como principal réu a essência química, mas o homem que as usa, juntamente com o processo educacional em que esse homem forma a sua personalidade. Reverter esse quadro é o nosso grande desafio. A melhor maneira de destruir a liberdade é querer vivê-la sem limites.

### 3. Uma espécie desconectada da natureza

Uma outra atitude que tem gerado tantas desordens psicossociais nas sociedades modernas é a desconexão cada vez mais profunda da espécie humana com a natureza.

O homem tem muito a aprender com o comportamento das espécies contidas nos ecossistemas. Por exemplo, os pássaros, às vezes, durante a madrugada, sofrem intensas agressões do meio ambiente: frio intenso, ventos impetuosos, chuvas torrenciais etc. Eles têm todos os motivos para despertar silenciosos, angustiados. Mas, ao invés disso, eles cantam, rejubilam, alegram as manhãs com seu cantar maravilhoso.

Nós, muitas vezes, reagimos diferentemente. Diante dos obstáculos que a vida nos traz ou que criamos em nossas próprias mentes, ficamos deprimidos, ansiosos. Algumas pessoas entram num processo depressivo tão dramático que não raramente têm idéias de suicídio.

Somos a única espécie inteligente da natureza, mas não somos a mais feliz. Somos a única que tem consciência de que pensa e que pode gerenciar a construção das idéias, mas, paradoxalmente, temos pouca habilidade de administrar os focos de tensão, e pouca consciência das dores e necessidades dos outros. As faculdades de Psicologia multiplicam-se, mas o homem moderno não é mais sábio e solidário do que o homem dos séculos passados, ao contrário, a crise do diálogo, o individualismo e a competição predatória espalham-se como nunca.

A graça, a habilidade e o encanto das cores, dos movimentos, das interações e dos mecanismos de sobrevivência das espécies dos ecossistemas deveriam ser uma fonte saudável e, até certo ponto, insubstituível para as crianças se divertirem, serem educadas e aprenderem a valorizar suas vidas. Mas não o é.

Claro que estas espécies agem instintivamente e nós agimos pela nossa intelectualidade, pela capacidade que temos de elaborar raciocínios e reflexões. Só que nossas inteligências são usadas unifocalmente e não multifocalmente.

A espécie humana é a única que mata pelo prazer de matar, sem qualquer necessidade; que se aprisiona, embora ame desesperadamente a liberdade; que se droga, embora deteste o cárcere da emoção. É a única espécie cujos membros podem perder o prazer de viver e desistir de sua própria vida.

Para onde caminhamos? Que tipo de futuro se abre neste terceiro milênio para esta espécie que possui a racionalidade, mas não honra a arte de pensar? Todos somos responsáveis individualmente pelo destino de nossas vidas.

Seria bom se aprendêssemos a velejar dentro de nós e revisássemos nossa trajetória existencial. As drogas, os transtornos depressivos e ansiosos são apenas a ponta do *iceberg* dos imensos problemas que temos cultivado por não aprendermos a dar um sentido mais nobre a nossas vidas. Podemos não ser vítimas da droga química, mas sem dúvida somos vítimas da droga da rigidez intelectual, dos transtornos depressivos, da ansiedade, do estresse.

As crianças têm crescido aos pés dos videogames, dos jogos eletrônicos, dos filmes agressivos das TVs etc., e, por isso, têm perdido o romantismo pela vida. É preciso resgatar esse romantismo, resgatar a nobreza do sentido da vida.

## 4. Perdemos nossa identidade como seres humanos

Somos prolixos para comentar sobre o mundo em que estamos, mas emudecemos diante do mundo que somos. Por isso, vivemos o paradoxo da solidão. Trabalhamos e convivemos com multidões, mas, ao mesmo tempo, estamos isolados dentro de nós mesmos.

Psiquiatras e psicoterapeutas têm tratado não apenas as doenças psíquicas, tais como depressões e síndromes do pânico, mas também uma importante doença psicossocial: a solidão. Porém, não há técnica psicoterapêutica que resolva a solidão. Não há antidepressivos e tranqüilizantes que aliviem a sua dor.

Um psiquiatra e um psicoterapeuta podem ouvir intimamente um cliente, mas a vida não transcorre dentro dos consultórios terapêuticos. O palco da existência transcorre lá fora. No terreno árido das relações sociais é que a solidão deve ser tratada. Lá fora é que o homem deve construir canais seguros para falar de si mesmo. Falar sem preconceitos, sem medo. Falar sem necessidade de ostentar o que se tem. Falar demonstrando apenas aquilo que se é.

O que somos nós? Muito mais do que uma conta bancária, um título acadêmico, um *status* social, somos o que sempre fomos — seres humanos. As raízes da solidão começam a ser tratadas quando aprendemos a ser apenas seres humanos.

O diálogo em todos os níveis das relações humanas está morrendo. A relação médico-paciente, professor-aluno, executivo-funcionário, pai-filho, marido-mulher carecem de interação e profundidade. Falar de si mesmo é cooperar mutuamente. E é difícil ter êxito nessas áreas. É necessário aprendermos a remover nossas maquiagens sociais, mas, infelizmente, a grande maioria prefere esconder-se: ficar ligado na TV, plugado nos computadores ou viajar pela Internet!

Ajudei, como psiquiatra e psicoterapeuta, diversas pessoas das mais diferentes condições socioeconômicas e de várias nacionalidades. Percebi que, embora gostemos de nos classificar e de nos medir pelo que temos, todos nós possuímos uma sede intrínseca de encontrar nossas raízes como ser humano. Os prazeres mais ricos da existência, tais como a tranqüilidade, a amizade, o prazer de viver, o diálogo, a contemplação do belo, são conquistados pelo que somos e não pelo que temos. Infeliz é o homem que só consegue ser rodeado de pessoas pelo que tem e não pelo que é.

A fábrica da fama e da hierarquia social é psicologicamente doentia. O ator mais prestigiado de Hollywood tem ou deveria ter tanta dignidade quanto um habitante das favelas do Rio de Janeiro. O homem mais rico do mundo, classificado pela revista *Forbes*, assim como o mais miserável dos africanos, possui os mesmos fenômenos inconscientes que financiam gratuitamente a construção da inteligência. Gostamos de ser diferentes e de estar acima dos outros, mas no cerne da alma somos muito mais iguais do que imaginamos.

Quem consegue perceber que acima de nossas contas bancárias, de *status* social, de cultura, somos simplesmente seres humanos, está abrindo uma janela para ver a vida sob outra perspectiva. Mesmo que estejamos doentes, angustiados, deprimidos, tensos, ansiosos e encarcerados no território da emoção, nunca deveríamos esquecer de que nada neste mundo pode tirar a dignidade de um ser humano, único e insubstituível. Toda pessoa que se sente diminuída, inferiorizada, incapacitada, esgota sua motivação de viver, esfacela sua capacidade de superação e abandona a si mesma na trajetória existencial.

## 5. Mais belos depois do caos

Freqüentemente fazemos de nossas emoções uma lata de lixo. Deixamo-nos invadir pelas ofensas, rejeições e frustrações causadas pelos outros. Não apenas sofremos pelo que os outros nos causam, mas também pelo que causamos a nós mesmos. Às vezes, nos tornamos nosso maior carrasco. Infelizmente, não temos proteção emocional e, diante da menor contrariedade, sofremos um impacto muito grande. Quantas vezes nos autopunimos e somos implacáveis com nossos erros! Por que não admitimos nossas falhas?

A farmacodependência é uma doença grave; uma doença não apenas causada pelos efeitos das drogas na psique, mas causada pela passividade do eu. Ela encarcera a emoção e aprisiona a liberdade de pensar, principalmente nos focos de tensão. Como disse, muitos usuários de drogas queimam etapas em suas vidas. Vivem tantas angústias, ansiedades, êxtases, sentimentos de perdas e momentos de desespero que, em três ou quatro anos de dependência, acumulam experiências que muitos de 80 anos jamais teriam acumulado.

Eles se tornam "velhos" em corpos jovens. Contraem o prazer pelos pequenos estímulos da vida e só conseguem excitar sua emoção diante de grandes aventuras. Relatando esses mecanismos psicológicos a um dos meus pacientes, ele, condoído e com os olhos lacrimejando, confirmou que se sente emocionalmente velho, desgastado e sem motivação. Sente-se um velho, embora tenha 22 anos. Apesar de ser um brilhante estudante de Medicina, o cárcere das drogas tem esmagado sua auto-estima e sua esperança.

Um dos maiores riscos de quem procura grandes emoções é psicoadaptar-se aos pequenos eventos da rotina diária e deixar de ter prazer neles, tais como o sorriso de uma criança, o colorido de uma flor, o diálogo descompromissado. Quem busca desesperadamente apenas as grandes emoções não consegue ter prazer nas pequenas brisas que afagam o rosto.

É preciso enxergar as pequenas coisas para se ter prazer nas grandes. Os usuários de drogas precisam resolver não apenas o "dinossauro" inconsciente da dependência, mas revisar a sua capacidade de sentir prazer, reaprender a viver, reconstruir seus sonhos, refazer suas relações sociais.

É totalmente possível resgatar a saúde psíquica e resolver a farmacodependência, mas não é um caminho tão simples. O problema não é reconhecer o dinossauro da dependência, mas refilmá-lo, reescrevê-lo nos meandros da memória. O paciente precisa cooperar muito, precisa entrar numa empreitada terapêutica e decidir resolutamente que ele quer ser saudável, custe o que custar, sofra o que sofrer.

Se alguém der as costas à doença psíquica que aprisiona a sua emoção, seja ela depressão, síndrome do pânico ou farmacodependência, ela se transformará num monstro indestrutível; mas, se enfrentá-la com coragem, resgatando a liderança do eu, certamente ela se tornará uma página virada de sua história.

Não devemos ter medo de nossas doenças e dificuldades. O medo transforma o "eu" num espectador passivo de nossas misérias. É preciso criticar o medo, não ter medo do medo, viajar dentro de nós mesmos e nos transformarmos em agentes modificadores de nossas vidas.

Não nos podemos esquecer de que, quando alguém resolve a sua miséria psíquica, fica mais bonito, interessante, experiente, afetivo e humano. O resultado é arrebatador. A doença psíquica, quando resolvida, não se torna um objeto de vergonha, mas um alicerce da sabedoria.

Aqueles que atravessaram o caos da depressão, da síndrome do pânico, dos transtornos obsessivos e conseguiram superá-los, tornaram-se realmente mais belos por dentro, mais sábios e capazes de ajudar seus semelhantes.

Do mesmo modo, os que passaram pelo caos da farmacodependência, incluindo o alcoolismo, e reescreveram a sua história, hastearam a bandeira da liberdade no território da emoção. Tornaram-se mais ricos, afetivos e socialmente solidários. Porém, infelizmente, a maioria fica pelo caminho, destrói literalmente a mais cara de todas as liberdades, a liberdade de pensar e sentir. Ser livre e feliz, apesar de nossas turbulências, não deveria ser um jargão psicológico, mas o destino de todo ser humano.

## 6. O Mestre da escola da vida nunca desistia da vida nem das pessoas

Como pesquisador da Psicologia, tenho estudado exaustivamente a humanidade de Cristo. No passado, achava que Ele era fruto da imaginação e da cultura humana. Porém, analisando detalhadamente comportamentos, reações e atitudes do Mestre de Nazaré contidos nos textos dos Evangelhos, percebi que nenhum escritor poderia idealizar um personagem como Ele. O resultado desse estudo psicológico, e não teológico, está sendo publicado na coleção de livros Análise da Inteligência de Cristo.

Estudar os meandros da Sua inteligência, Seus focos de tensão e Seus mecanismos de superação pode ajudar-nos muito a superar as nossas próprias intempéries e dar um novo sentido a nossas vidas. Por isso, para finalizar este livro, gostaria de fazer um breve comentário sobre alguns aspectos da Sua personalidade.

Cristo teve um nascimento indigno e uma história de turbulências e aflições. Nasceu entre os animais. No aconchego de um estábulo, Ele derramou suas primeiras lágrimas. O ar saturado do odor azedo de estrume fermentado ventilou pela primeira vez em seus pequenos pulmões. Provavelmente, até as crianças mais pobres têm um nascimento mais digno do que Ele teve.

Quando tinha dois anos, deveria estar brincando, mas já atravessava grandes sofrimentos. Era perseguido de morte por Herodes. Tinha uma inteligência incomum para um adolescente e foi admirado aos doze anos por intelectuais da época. Todavia, tornou-se um carpinteiro. As mãos grossas e o rosto castigado pelo sol escondiam a mais elevada sabedoria que alguém já teve. Discursou sobre o amor, a tolerância e o respeito humano como nenhum pensador. Embora acolhesse as pessoas mais desprezadas da sociedade e seus discursos exalassem aromas de paz, Ele foi o mais discriminado e incompreendido dos homens.

Tinha, portanto, todos os motivos para ser uma pessoa tensa, ansiosa, irritada e infeliz, mas, para nosso espanto, era uma pessoa alegre e tranqüila. Apresentou-se como uma fonte de prazer, uma fonte de água viva que matava a sede da alma humana. Quem, no deserto mais escaldante, conseguiu, como Ele, fazer de sua vida um oásis inesgotável que saciava a sede dos sedentos?

Por incrível que pareça, Ele fazia poesia até mesmo de Sua miséria. Muitos têm bons motivos para ser alegres, mas estão sempre insatisfeitos. São incapazes de valorizar o que têm, valorizam apenas o que não têm. Tornam-se especialistas em acusar os outros pelos seus conflitos e detestam a vida que possuem.

Jesus, ao contrário, tinha muito pouco exteriormente, mas fazia muito do pouco. Nele não havia sombra de insatisfação. Reclamação não fazia parte do dicionário de Sua vida. Nunca acusava ninguém por suas misérias. Era forte para enfrentar Seus desafios sem precisar ferir nem agredir ninguém.

Os homens podiam desistir Dele, mas Ele nunca desistia de ninguém. Tinha consciência de que O feririam sem piedade, mas Ele não se suicidaria. Havia predito que O humilhariam, cuspir-lhe-iam no rosto e torná-lo-iam um show público de vergonha e dor, mas Ele permaneceria de pé, firme, fitando os olhos dos seus acusadores e suportando com dignidade a sua dor.

A única maneira de cortá-lo da terra dos viventes era matá-lo, extrair-lhe cada gota de sangue. Ele demonstrou que, mesmo diante do caos, vale a pena viver a vida. Jesus Cristo foi o Mestre da sensibilidade.

A história do Mestre da Galiléia deve ensinar-nos importantes lições de vida. Podemos chorar e nos angustiar pelas nossas dificuldades e conflitos, mas nunca devemos desistir de nós mesmos. Podemos nos abater, mas nunca desanimar. Devemos amar a perseverança como quem ama o melhor amigo.

A capacidade de recomeçar tudo, quantas vezes forem necessárias, faz dos fracos, fortes. A firme convicção de continuar sempre lutando, ainda que com algumas derrotas, alimenta o sonho da vitória. Estar inconformado com nossas doenças e com nossas misérias é o primeiro passo para sermos saudáveis. Enfrentar nossa passividade e sentimento de incapacidade abre as portas da liberdade.

O pior inverno pode anunciar a mais bela primavera. Sábio é aquela pessoa que consegue ver aquilo que as imagens não revelam. É a pessoa que, ao ver cair a última folha do inverno, é capaz de erguer os olhos e enxergar as flores da primavera que ainda não brotaram.

O Mestre era o único na Sua época que conseguia ver o que ninguém via. À sua frente, só havia pedras e areia, mas Ele conseguia erguer os olhos e ver os campos branquejando, embora estivesse apenas lançando as primeiras sementes na terra.

Ele causou a maior revolução da História, sem desembainhar uma espada, sem usar qualquer violência. Não precisamos revolucionar o mundo, mas devemos revolucionar as nossas vidas, o nosso espírito, a nossa capacidade de pensar e de ver a vida. Se assim o fizermos, certamente estaremos plantando um jardim onde antes só havia pedras e areia.

# Referências

ARGYLE, M. *A Psicologia e os problemas sociais*. Rio de Janeiro: Zahar, 1967.

ASCH, S. *Psicologia social*. São Paulo: Ed. Nacional, 1966.

CECIL-LOEB. *Tratado de medicina interna*. Rio de Janeiro: Interamericana, 1977.

CURY, Augusto J. *Inteligência Multifocal*. São Paulo: Ed. Cultrix, 1998.

_____ *Análise da inteligência de Cristo — O Mestre dos mestres*. São Paulo: Ed. Academia de Inteligência, 1999.

_____ *Análise da inteligência de Cristo — O Mestre da sensibilidade*. São Paulo: Ed. Academia de Inteligência, 2000.

_____ *Drogas*. São Paulo: Ed. Ondas, 1986.

GOODMAN e GILMAN. *As bases farmacológicas da terapêutica*. Rio de Janeiro: Guanabara Koogan, 1983.

LEVENSON, A. J. *Psicofarmacologia básica*. São Paulo: Andrei Ed., 1983.

SANCHES, A.; TELLES, C.; MURAD, J.; GONÇALVES, E.; TANCREDI, F.; CHARBONNEAU, P.; KANNER, R.; WEREBE, S.; SANCHES, V. *Drogas e drogados*. São Paulo: E.P.U., 1982.

OLIVENSTEIN, C. *A droga*. Rio de Janeiro: Nova Fronteira, 1982.

MILLER, O. et al. *Farmacologia clínica e terapêutica*. São Paulo: Ateneu, 1981.

MURAD, J. E. *O que você precisa saber sobre os psicotrópicos — A viagem sem bilhete de volta*. Rio de Janeiro: Guanabara Dois, 1982.

# Outros livros de Augusto Cury

## Filhos brilhantes, alunos fascinantes

Cada capítulo deste livro apresenta histórias de jovens e adultos portadores de conflitos, que foram feridos pela vida, rejeitados socialmente, desacreditados, mas que conseguiram encontrar força na fragilidade e dignidade na dor.

Você vai perceber que os filhos brilhantes e os alunos fascinantes não são sempre os bem comportados, os que não falham, não choram ou não tropeçam. Brilhantes e fascinantes são aqueles que aprendem a desenvolver consciência crítica, decidir seus caminhos, trabalhar seus erros, construir tolerância.

Bons filhos se preparam para o sucesso, filhos brilhantes se preparam para enfrentar derrotas e frustrações. Bons alunos se preparam para receber um diploma, alunos fascinantes se preparam para a vida.

## 12 Semanas para mudar uma vida

*12 Semanas para mudar uma vida* é muito mais que um livro. É um Programa de Qualidade de Vida. Este livro traz um programa que apresenta ferramentas psicológicas que contribuem para educar a emoção, vencer o estresse e prevenir a ansiedade e outros transtornos psíquicos. São 12 leis da Psicologia trabalhadas com simplicidade para que possam ser amplamente aplicadas na vida diária, transformando o conhecimento em experiência, é uma prática existencial para ser exercitada por todos aqueles que querem conhecer o seu próprio ser e dar um salto na qualidade de vida.

## TREINANDO E EMOÇÃO PARA SER FELIZ

Nunca tivemos uma indústria de lazer tão grande e diversificada, mas o homem nunca foi tão triste e sujeito a tantas doenças psíquicas. Nada é tão belo e complexo quanto a emoção. Ela é capaz de tornar ricos em miseráveis e miseráveis em ricos. Não é simples navegar nas águas da emoção, mas você pode treinar a sua emoção para ser feliz e tranqüilo, para gerenciar os pensamentos, superar a ansiedade e descobrir coragem na dor, força na fragilidade, lições nos fracassos. Felicidade não é um dom, é um treinamento.

Este livro foi composto em Minion
para a Editora Academia de Inteligência
em outubro de 2011